謹訳 源氏物語

改訂新修

一

林 望

目次

装訂　太田徹也

桐壺
きりつぼ

源氏誕生から十二歳まで

さて、もう昔のこと、あれはどの帝《みかど》の御世であったか……。

宮中には、女御《にょうご》とか更衣《こうい》とかいう位の妃《きさき》がたも多かったなかに、とびぬけて高位の家柄の出というのでもなかった桐壺《きりつぼ》の更衣という人が、他を圧して帝のご寵愛《ちょうあい》を独占している、そういうことがあった。

女御ならば皇族または大臣家の姫、更衣ならば大納言《だいなごん》以下の貴族の娘と決まったものゆえ、その並々ならぬ家柄の女御のかたがたからみれば、我をさしおいて桐壺の更衣ごときがご寵愛をほしいままにするなど、本来まことにけしからぬ話、とんでもない成り上がり者と、あしざまに罵《ののし》らずにはおられない。

まして、同じくらいの家柄、もしくはそれ以下の出自《しゅつじ》の更衣たちともなれば、心はいよいよ穏やかでない。

が、帝はそのようなことには頓着《とんちゃく》されないから、朝に夕に、この桐壺の更衣をお呼びになる。そこで、お仕《つか》えするために参上すると、もうその度《たび》に、あたりの女たちの嫉妬《しっと》心は燃え上がり、満々たる恨みが、その人の一身に積もり積もったのであろうか、とうとう病《やまい》がちになり、だんだんと心細い状態になって、とかくは実家のほうに下がって過ごしているということが多くなった。

すると、逢《あ》えない分、帝のご執心はまさり募《つの》って、どうしても逢いたいと、いっそうご寵愛が急になっていくので、周りの人々がどれほどこの更衣を誹謗《ひぼう》しているかということまでは斟酌《しんしゃく》されるゆとりもなかった。まさに、一国の主《あるじ》が女色《にょしょく》に迷って国の乱れを惹起《じゃっき》したという歴史上の例話にもなるようなご惑乱ぶりであった。

上達部《かんだちめ》、殿上人《てんじょうびと》など、帝を輔佐《ほさ》する高官たちも、まったく困り果て、目引き袖《そで》引き、この惑乱ぶりはとても見ていられないと噂《うわさ》しあったほどの、ご執心ぶりであった。聞けば、唐国《もろこし》にも、こういう色好みがもとで、ついには内乱沙汰《ざた》にまでなったという良からぬことがあるというから、この体《てい》たらくではまったく困ったものだと天下の人々はみなこのことを苦にして、かの楊貴妃《ようきひ》の例《ためし》なども引きあいに出されるようになっていった。

桐壺の更衣にとっては、いたたまれないような事が次々と起こって辛《つら》いばかりの日々であったが、それでも、帝のもったいないお心のまたとない愛しみ深さばかりを、せめての心のよりどころとして、かろうじて宮中の交わりをしていたのである。

この桐壺の更衣という人の父親は、大納言であったが、すでに亡くなり、母親北の方《きたのかた》は、それなりに由緒ある家柄の出自で教養もあるという生まれ育ちであったから、今も両親が揃《そろ》っていて世間の評判も華々しい妃《きさき》がたにもおさおさ劣ることのないように、あれこれの儀式の用意などはしていたが、とはいっても、父のない身の上では、これに代わるしかるべき後ろ楯《うしろだて》も持たなかったので、とくに正式の行事などのときには、やはりどこかたよりなく心細げに見えた。

若宮誕生

が、前世からの因縁であろうか、それもよほど深い契《ちぎ》りがあったのであろう、ただご寵愛深かったばかりか、この世ならぬ美しさの、玉のような男君まで生まれたのである。まだか、まだか、と気を揉《も》んで出生を待ち望んでおられた帝が、生まれたとの報《ほう》に駆けつけてごらんになると、その若宮のいや美しいこと、この世にはたぐいなきばかりであった。

帝にとっては、しかし、この男君は二番目の君であった。第一の君は、右大臣《うだいじん》家出身の弘徽殿女御《こきでんのにょうご》の産んだ御子《みこ》で、こちらは祖父が現役の右大臣という後ろ楯も重々しく、まったく疑いもなき日嗣《ひつぎ》の御子と世間では大事に大事にお仕えしていたけれど、しかし、この桐壺の更衣の産んだ御子の美しさには、とても肩を並べることができない。そのため、帝は、一の君のほうはそれなりに丁重に慈《いつく》しまれはしたけれども、この二の君ばかりは、なにをさておいても心ゆくまで情《なさけ》をかけ、かわいがって育てられることは限りがなかった。

この桐壺の更衣という人は、四六時中帝の身の回りのお世話をするありきたりの女というような身分ではなかった。美しい女として世間の評判も並々ならず、それなりに高貴の身分の女らしい風情《ふぜい》を帯びているのではあったが、いかんせん帝が、ともかく年中お側《そば》近くに置きたがって、宮中のしかるべき行事に管弦の楽を奏する折々や、その他何事にもあれ、重要な事のある時々には、誰をさしおいても、まずこの更衣を身辺にお召しになる。ある時は、夜の閨《ねや》にお召しになって、本来はすぐに局《つぼね》にお返しになるべきところ、そのままずっと手放されないなど、無理を承知で、お側《そば》を去らせずに居続けさせるというようなことがあって、結果的に、なにか軽輩《けいはい》の女房のように見えるということもあったのだが、さすがに、この男君の生まれた後は、そういう無分別を思い改められて、しかるべき格式に従って待遇されるようになった。

そのため、弘徽殿女御のほうでは、あるいは万一にもこの二の君が自分の息子を差し置いて立太子《りったいし》するというようなことがあるかもしれない、と疑心暗鬼になってくる。

けれども、この女御は、人に先駆けて真っ先に入内《じゅだい》し、帝のご寵愛もなまなかのものではなかったし、それゆえ御子たちも何人か儲《もう》けていた関係で、帝は、この弘徽殿の御方《おんかた》の諫《いさ》めばかりは、やはりいつも気にかかっていて、桐壺の更衣とのことについては、心苦しいこととお思いになっておられるのだった。

桐壺の更衣は帝のご寵愛だけが頼りであったが、まわりじゅう敵ばかりで、あれこれあげつらう人も多く、またその身は病弱でいつ命が絶えぬものとも限らない。そういう日々を送りながら、かくては〈いっそ帝のご寵愛などないほうがよかった〉、とまで考え込んでしまうのであった。

更衣の局のあった桐壺は、帝のご寝所《しんじょ》からはもっとも遠い東北の隅《すみ》なる別棟《べつむね》の御殿にある。だから、帝がお渡りになるときには、数多い女御や更衣たちの局の前を素通りしていくことになり、それもひっきりなしにお通いになるわけだから、あまたのお妃がたが心を痛めるのもむべなるかなというところがあった。

また反対に、帝のお召しに応じて桐壺の更衣のほうから参上する、それもあまりにも度重なるという折々には、架け渡した板の橋のところやら、渡殿《わたどの》（渡り廊下）のところやら、ともかくそこかしこに、とんでもない汚物がまき散らしてあったりして、更衣を送り迎えする女房たちの裾《すそ》が、堪《た》え難い悪臭にまみれるというようなことすらあった。

そうかと思うと、御殿の中ほどの、どうしても通らなければならない廊下を歩いているときに、その前後の戸に錠を鎖《さ》してしまって、あっちとこっちで申し合わせて進退谷《きわ》まるような目に遭《あ》わせるということも少なくなかったのである。

こうして、何かにつけて、数えきれないほどの苦しい目に遭わされたので、更衣はなにもかも悲観して萎《しお》れ返っている。すると、帝はその様子をますますいとおしく思われたのであろう、ご寝所のすぐ隣にある後涼殿《こうろうでん》に住んでいた更衣の局をほかに移転させて、代わりに桐壺の更衣の上局《うえつぼね》（帝に召されたときに使う控えの局）として下された。そういうことをされたのでは、追いやられたほうは恨み骨髄、なんとしても晴らしようのない憤懣《ふんまん》を抱かずにはいられない。

若宮三歳、袴着を行なう

　さて、この二の君が三歳になった年の御袴着《おんはかまぎ》の儀に際しては、一の君の出で立ちに勝るとも劣らず、それこそ内蔵寮《くらづかさ》・納殿《おさめどの》に襲蔵《しゅうぞう》された宝物《ほうもつ》を尽くして、おどろくほど立派に執行《しっこう》されたのであった。それにつけても、世の中の人々の間には、不適切なことだと批判する声のみ多かったけれど、とはいえ、この御子がしだいに大人びていくにつれて、その姿形の美しさといい、性格の立派さといい、この世のものとも思えないくらい素晴らしかったので、お妃たちは、〈あの女は憎いけれど、この御子ばかりは、どうしてもどこか憎めないわ〉、と思ってしまうのである。それどころか、世間の道理を知り尽くした人ともなれば、〈なんとまあ、こんな人も世の中に生まれ出てくるものなのですねえ〉と、驚き呆《あき》れつつ目を瞠《みは》るばかりであった。

更衣死す

その年の夏、皇子を産んでいまは御息所《みやすんどころ》と呼ばれるようになった桐壺の更衣は、我が身ながら、この先頼りない気持ちになるほど体調が悪くなり、お暇《いとま》を頂戴《ちょうだい》して里へ下がろうとお願いしてみるけれど、愛着する帝はどうでもお許しにならぬ。いや、もうここ何年と、ずっと病気がちであった更衣のことゆえ、帝は、いつものことだと軽く考えておられ、

「もう少し、ここで養生《ようじょう》したらよい」

とばかりおっしゃっているうちに、日に日に容体は重くなり、わずか五日六日たったころには、もうひどく衰弱してしまった。

更衣の母は、泣きながら帝にお願いを申し上げて、やっとのことで里に下がることが許された。

そういう里下がりの折にさえ、もしそこに我が子を同道していたら、万一にもまた恥をかかされるような嫌がらせがあったときに、ほかならぬ御子に恥をかかせることになる、

と、そこを案じて、あえて御子は宮中に留め、ほんの身近な人々のみを連れてひそかに退出したのである。

もう死も近い者を宮中にいつまでも引きとどめてもおかれないのだから、最愛の更衣と別れるのはやむを得ないけれど、だといって、その別れの日に見送ってやることもままならない、その不安な思いを帝は言いようもなく思われる。

退出する直前、更衣の様子はなお匂《にお》うように美しく、またかわいらしいのだが、それが病《やまい》のせいでひどく面《おも》やつれして、こんなふうに今生《こんじょう》の別れをしなければならないことを、ああ悲しい、と心に沁《し》みて思いながら、あらわな言葉に出して帝に申し上げることもできず、ただ、もう朦朧《もうろう》と意識も薄れゆく様子であるのを帝はご覧になって、もはや前後を忘《ぼう》ずる取り乱されようであった。

そうして、あれやこれやと泣きながら約束などなさろうとするけれど、更衣はまったく答えることもできない。その眼差《まなざ》しは熱に浮かされたようにボオッとして、全身からにわかに力が失《う》せ、いよいよ意識不明の状態で臥《ふ》せっているので、帝は、ただおろおろするばかり、どうしたものか、どうしたものか、と惑うておられる。

いったんは輦車《てぐるま》にて退出して良いという宣旨《せんじ》を発しておきながら、未練断ち難く、また車を引き込ませては、どうしても、なんとしても、手許《てもと》を放ちやることがおできにならぬ。
「ああ、ああ、この限りある命の、その限りの道にだって、どちらが先に、どちらが後《あと》にということなく、いっしょに旅立とうと約束したではないか、それなのに、どうしておまえは、私をここに残して……そんなふうに私を残して一人だけ里へなど行かれやしないだろう、な、そうだろう」
と叫ばれる。さすがに、瀕死《ひんし》の更衣もあまりにも悲しいと思ったのであろうか、
「限りとて別るる道の悲しきに
　いかまほしきは命なりけり
　しょせん限りのある命ゆえ、こうして別れていく道の悲しいにつけても、いきたいのは死出の旅路ではなくて、この命をこそいきたいのでございますものを
もう、こんなふうになると思っておりましたら……」
そこから先に何を言おうとしたのであろうか、息も絶え絶えに、かろうじてそれだけ言うと、まだもう少し言いたいことはある様子であったけれど、ひどく苦しく辛そうに消え

入っていく。

〈ままよ、宮中は死を忌むとは承知ながら、もうこのままここで看取《みと》ってやろう〉とまで帝は思われた。

が、そうはいかなかった。

「今日これからすぐに始めることになっております祈禱《きとう》を、しかるべき高僧たちが承《うけたまわ》っておりますので、それがもう今宵《こよい》まもなくでございますから……」

と、周囲の者共が、口々に帝に申し上げて急《せ》かせる。帝は、ああたまらぬ、と嘆きつつ、とうとう更衣一行の退出を許された。それから、帝の胸は塞《ふさ》がり、まんじりともせずに一夜を明かされた。

かくて、帝が安否を尋ねるために遣《つか》わされたお使者が何度も行き交《か》うまでもなく、ただひたすらに気掛かりなお気持ちを限りなく側近の者に漏らしておられた、そのころ……、

「夜中を過ぎるころに、亡くなられました」

と更衣の実家の者たちが泣き騒ぐのに際会《さいかい》して、お使者もひどくがっかりして帰参《きさん》してきた。それをお聞きになった帝のお心惑いたるや、まさに前後不覚というありさまで、ご寝所《しんじょ》に引きこもってしまわれた。

若宮の里下りと更衣の野辺の送り

帝は、こんな不慶事の最中でも、ずっとこの子を見ていたいと思われたが、実の母が亡くなったというのになお宮中に引きとどめておくというのは前例にもかなわぬことゆえ、里へ退出させることになった。

いざその時になっても、まだ幼い御子は何が起こったのかも分からない。ただ側仕《そばづか》えの女房たちが泣きじゃくり、父帝《ちちみかど》も絶えず涙を流しておられるのを、不思議そうな表情で見上げている。当たり前の夫婦であっても、こうして死に別れるとなればなんとしても悲しいけれど、ましてかわいい盛りの若君が何事も分からずにいるのを見れば、〈ああ、この子に何を言ってもしかたがあるまい〉と帝は言うべき言葉を失われるのであった。

いつまでもそうしているわけにもいかないので、亡骸《なきがら》は常の作法にしたがって荼毘《だび》に付すことになった。更衣の母は、「いっそ私も同じ煙になって空へ上《のぼ》ってしまいたい」と泣き焦がれ、常ならば死者の母親は参加しないのが習いであったにもかかわらず、野辺の送りに向かう女房の車に強いて乗り込んでいって、愛宕《おたぎ》という所の野辺《のべ》で、たいそう厳粛に葬礼を執行《しゅぎょう》しているところに到着した、その心持ちというものは、いったいいかばかりであったろうか。

「空《むな》しい亡骸をこうして見ていると、なんだかまだ生きているような気がします。でも、そんなこと思ったって何の甲斐《かい》もないことですもの、いっそ灰になってしまうのを見て、さあ、もう娘は死んでしまったのだと、きっぱり諦《あきら》めをつけようと思います」

と、けなげにも口には言うけれど、いざその場に来てみれば、もはや車から落ちそうになるほどに、身を揉《も》んで泣くのを見て、供の女房たちは、〈こんなことになりはせぬかと思っておりましたに……〉と、ひたすら困惑するばかりであった。

そこへ宮中から勅使《ちょくし》が下《くだ》ってくる。

亡き桐壺の更衣に、従三位《じゅさんみ》の位を授け下さるというので、その旨を通達する宣命《せんみょう》を勅使は読みあげる。そのことだって、また新たな悲しみの種となったのである。

帝は、せめてこの人を女御という位にのぼせてやりたかったが、それも叶《かな》わなかった、そのことが悔やんでも悔やみきれぬと思われて、更衣ならば本来四位《しい》の位階であったところを、一階級上の三位《さんみ》とされたものであったろう。が、こんなことにつけても、まだ、更衣を憎らしく思う妃たちが多かったのだ。

もっとも、そんな意地悪な妃がたばかりでもなかった。なかにはものの情理をわきまえた妃がたもあって、そういう人たちは、亡き更衣の姿や顔立ちがいかにも麗《うるわ》しかったことや、気立てがおっとりとして良い感じの人であったことや、かれこれ憎みがたかったことなどを、今の今、思い出していたのである。

「……なにもあの更衣が悪かったのではない、陛下があまりに理不尽《りふじん》なご寵愛をなさったがゆえに、ややもすればわたくしも憎らしく思って、嫉妬の心なども持ったけれど、でも、あの方のお人柄はいかにも可憐《かれん》で、また情深いお心をお持ちであったものを……」

と、帝の御側仕《おそばづか》えの女房などはなつかしく偲《しの》びあった。思えば、「あるときはありのすさびに憎かりきなくてぞ人は恋しかりける（生きているときは、その生きているというだけで憎たらしい気がしたものだが、いざ亡くなってみると、今さらながらに悲しく思われるなあ）」という古歌の心は、まさにこういう時のことを言うのだと痛感される。

なすところなく日数《ひかず》が過ぎ、七日ごとの法要なども、帝は欠かさず見舞われる。そうやって時が過ぎていく間《あいだ》も、なんともしようのない悲しみに打ちひしがれて、帝は他の妃がたのところへも、絶えてお召しの沙汰《さた》とてなく、ただただ、日夜《にちや》涙にくれて明かし暮らしておられるので、お側で見ている女房までがもらい泣きをするほどのご悲嘆ぶりである。

弘徽殿がたでは、そんな帝のご様子が嬉《うれ》しかろうはずもない。

「まったく、死んでの後まで、人の胸を鬱陶《うっとう》しくさせるあの女へのご執心ぶりだこと」

とばかり、なおも許すことなく言い募るのであった。

帝は、弘徽殿腹の一の宮を見るにつけても、今は里に放ちやった若君のことばかりが思い出され、親しい女房や乳母《めのと》などを、亡き更衣の里へ使者に立てて、その後《ご》の様子などを聞き取られる。

野分の夕べ、靫負の命婦弔問に下る

やがて秋の嵐が吹いて急に肌寒くなった夕暮れ、いつにも増して更衣のことが思い出されて、帝は靫負《ゆげい》の命婦《みょうぶ》という女房を使者として里方へ遣わされた。

折しも、夕方の月の美しい時分に宮中を出立《しゅったつ》させ、帝はそのまま物思いに沈んでおられる。

こういう折々には、よく管弦の遊びなどを催したものだったが、亡き更衣は、ひとしお趣《おもむき》深い音色《ねいろ》で琴をかき鳴らし、なにげなく口にする言葉なども、他の者とは格別にあわれ深かったその様子が、今面影にふっと寄り添ってくるように思われる。それにつけても、帝の心には「うば玉の闇《やみ》のうつつはさだかなる夢にいくらもまさらざりけり（夜の真っ暗闇のなかの現実は、はっきりと見える夢にいくらもまさらないことよ）」という古歌が去来《きょらい》して、〈……そうは言ってもやっぱり闇の現実のほうがずっとまさっていた〉、と帝は桐壺と過ごした閨《ねや》のほどなどを偲ばれる。

命婦は、更衣の里の大納言邸に着いて、牛車《ぎっしゃ》を門内に引き入れ、見ればあたりの様子もしみじみと感じられる。母ひとりの寡婦《やもめ》住まいとはいえ、一粒種《ひとつぶだね》の娘をねんごろに守り育てるために、十分に手を入れ、見苦しからぬしつらいをして過ごしてきた、その邸《やしき》に寂しく残された母は、「人の親の心は闇にあらねども子を思ふ道にまどひぬるかな（人の親の心は別段闇だということはないけれども、ただ子供のことを思うと道に惑うているようなありさまだ）」という古歌の心さながらに、ただもう心の闇にくれてうち沈んで過ごしている。そのせいで、草は生《お》い茂り、しかも嵐に吹き荒らされて荒涼とした庭に、「とふ人もなき宿なれど来る春は八重葎《やへむぐら》にもさはらざりけり（訪れてくれる人もない寂しい住まいだけれど、ただ巡り来る春は茂り合う草にも妨げられずにやってくるなあ）」という古歌の心ではないが、秋の今は、月影ばかりが、丈高《たけたか》い草にも遮られずに射《さ》し入っている。

命婦は邸の南面《みなみおもて》の部屋に車を降りて、更衣の母君と対面する。母君はただ涙ぐむばかりで、にわかには言葉が出ない。

「……今まで、こうして生き長らえておりますだけでも辛《つら》いことでございますのに、まして忝《かたじけ》なくも陛下のお使いに、こんな草茫々《ぼうぼう》のところまで、露踏みわけてお運びいただきますにつけても、ただただお恥ずかしい限りでございます」

などと、もう堪《こら》え切れぬ様子で泣き崩れる。

「まことに、あの典侍《ないしのすけ》がお見舞いを申し上げましたときに、『お訪ねいたしましたら、それはそれはおいたわしいご様子で、心も肝も消えうせるかと存じましたが……』と、そんなふうに陛下にお応《こた》えしておりましたけれど、こうしてお目にかかってみますと、もとより情《なさけ》知らずのわたくしのような者にでも、悲しくて堪《た》え難いことでございます」

と、涙をさしぐみさしぐみ、辛《かろ》うじて帝からのお見舞いを伝言する。

「されば、『更衣が亡くなってから、しばらくは夢ではないかと心迷いしていたけれども、やっと心が静まってきてみれば、この悲しい夢の覚めるはずもないことが、どうにもこらえがたい。はてさて、どうしたらよかろうと語りあうべき人ひとりなき私であってみれば、どうであろう、忍び忍びに宮中に顔を見せに来てはくれぬか。若宮のことも、気掛かりでならぬ。そちらのようにみなが涙にくれてばかりいるようなところで過ごさせるというのも、これで私としては、いかにも心苦しい。だから、すぐにも参内《さんだい》してはくれぬか』などと、涙にむせながら、かろうじて仰せでございました。とはいえ、陛下がそのようなことでは、なんと心弱い君であろうかと、人も見るに違いございませんものね、わたくしは、もういたたまれず、陛下のお言葉の終わらぬうちに、急ぎ罷《まか》り下ってまいったようなことでございました……」

と、このように帝のご様子を物語りながら、陛下よりの下され文《ぶみ》を伝達する。

「ああ、涙に曇って何も見えませんものを、このように忝ないお言葉を頂戴して……せめては、そのお言葉を光にして拝見いたしましょう」

と、陛下のお手紙を食い入るようにして拝見する。そこにはこう書かれてあった。

「時が経《た》てば少しは悲しみの紛《まぎ》れることもありはせぬかと思っておりましたが、その紛れる日を心待ちにして月日を送っておりますほどに、ますます悲しみが忍びがたくなってくるのは、まことに困ったものです。さても、幼い人はどうしているだろうと、いつも思いやりながら、我が手許《てもと》を放してしまって、いっしょに育てることがかなわないのは、なんとしても気がかりでなりません。どうか、今は若宮を亡き更衣の忘れ形見《がたみ》と思って、共に宮中においでくださいますように」

などなど、情深《なさけ》いご文面で、その文の奥には、一首の歌が添えてあった。

宮城野《みやぎの》の露吹きむすぶ風の音《おと》に
小萩《こはぎ》がもとを思ひこそやれ

この宮居《みやい》の野を吹く風音を聞くにつけても、もしや、あの小さな萩の花に障《さわ》りはせぬだろうかと、ただ思いやられるばかりだ

母君は、心強く読んでいくけれど、涙のみ溢《あふ》れて、この最後の歌まではどうしても読み続けることができない。そしてまた、こんなこともかきくどく。

「こんなふうに、娘に先立たれてまで、いたずらに生き長らえておりますことは、たいそう辛《つら》いことと思っておりますけれど、古い歌に『いかでなほありと知らせじ高砂《たかさご》の松の思はむことも恥づかし（なんとかして、ここにこんなふうに生き長らえているということを人には知らせたくないものだ。こんな長生きは、あの高砂の老松《おいまつ》がどう思うかと考えると恥ずかしいから）』

とございますのを思い出して、さてもさても、命長きことは恥多きことと痛感しております。まして、こんな老い衰えた身が宮中に上がるなどは、とてもとても、憚《はばか》られるのでございます。こうして、恐れ多くもお優しい仰せごとを、たびたび承っておりますけれど、わたくしはどうしても、思い切って参内させていただこうという決心がつきません。若君は、さてなんとなくお分かりなのでしょうか、自分は宮中に上がるのだと、それを急いでおられるように拝見いたします。まことに道理ながら、やはりわたくしとしては悲しいと思っておりますことなど、どうか、内々《ないない》、陛下に申し上げてくださいませね。わたくしは亡き者の母、縁起でもない身の上の者でございますから、若宮が、こんなところにおいでなのも、やはり忌むべきところが多々ございましょう。恐れ多いことで……」

その頃、若宮はもう寝てしまっている。

「もうお寝《やす》みですか、若宮は……、それじゃ、ほんとは一目《ひとめ》お顔なりとも拝見して、くわしくご様子を陛下にご報告したいと思っておりましたが、ま、これからまたそんなことをしておりますと、なにかと時間もかかりましょう。夜も更けます、もうそろそろ失礼しなくては……」

とそういって、命婦は帰りを急ごうとする。母君はあわてて言葉を継いだ。

「こうして、あの「人の親の心は……」の歌ではございませぬが、子ゆえの心の闇に暮れ惑うて、堪《た》え難い思いの一端だけでもなにかとお話ししたら、気が晴れるかと思っておりますのですから、どうか、こういう公《おおやけ》のお使いばかりでなくて、どうぞお役目なしのお立場で、ゆっくりおいでくださいましね。もうここ数年というものは、若宮のご生誕やら、袴着《はかまぎ》のお祝いやらと、晴れの機会にお立ち寄りくださいましたものを、今度ばかりは、こんな不吉なご用でお目にかかりますのは、それもわたくしが甲斐なき命を永らえておりますからですものね、いっそわたくしが先立っておりましたら、こんな目にはあわずにすみましたのに。

……あの亡き娘は、生まれた時から、やがては入内《じゆだい》させて、という願いをもって育てたものでしたから、父親の故大納言も、それはもう最期《さいご》の最期まで、『いいか、この子を入内させようという願いは、必ず必ず成就《じようじゆ》させてくれよ。私がこうして先立ったからとて、へなへなと心挫《くじ》けてしまうでないぞ、たのむぞ』と返す返すも遺言していたことでございました。

でもね、夫が亡くなってしまいましたら、この子にはこれというはかばかしい後見人も思い当たらぬことで、後ろ楯もないのに宮仕えなどすれば、なんだか中途半端なことになって、却《かえ》ってこの子のためにはならないのじゃないかしらと思いもしたのでございますけどね。……でも、せっかく夫がそこまで遺言いたしましたものを、むげにもできず、思い切ってご奉公に差し出したのでしたが、思いもかけず身に余るほどのご寵愛を賜《たまわ》りましてね、もうそれだけでじゅうぶんもったいないくらいでしたけれど、やはり、なにかと人並みならぬ扱いで恥をかかされたりしたこともございましたらしく、じっと我慢してまいりましてね、なんとかかんとか、宮仕えを続けてまいりましたんですよ。……そのうちに、なんですか人様の恨みや嫉《そね》みが一身《いっしん》に積もりましたんでございましょう、心を苦しめることが次第に多くなってまいりましてね、結局こんなふうに横死《おうし》というような目に遭ったというわけでございますから……陛下のご寵愛のありがたさはじゅうじゅう承知ながら、でも正直申しましたら、そのお情《なさけ》が却って辛いことでございました、なんて罰当たりなことまで考えるようになりましてね……いえいえ、これも訳の分からない、子ゆえの心の闇ということでございましょうかねえ」

などと言いも果てぬうちに、母君は噎《むせ》び泣きして何も言えなくなってしまった。

命婦は帰るに帰れなくなって、とうとう夜が更けた。

「陛下も同じことでございました。『考えてみれば、われとわが心ながら、周囲の者がびっくりするほど、強引にあの更衣を寵愛したのは、結局長続きはしないはずの仲だったということなんだね。ああ、今となっては、かえって巡りあわないほうがよかったと思うほど、辛いばかりの契りだった。いったい、私の信念として、わずかでも人の心を苦しめるようなことがあってはならぬと自戒していたのだが、ただこの更衣に思いをかけるあまりに、たくさんの恨みつらみをあの人の身に負わせる結果となってしまった。その結果が、こうして自分ひとり寂しく取り残されるという現実なのだ。もう自分で自分の心を安んじることもなりがたく、こうして外聞の悪い痴《し》れ者となり果ててしまったのも、思えばよほど深い前世からの宿縁があったのであろうな』と、幾度も幾度も仰せられては、また涙にくれてお過ごしでございますもの……」

と物語は尽きない。そうして、命婦も泣く泣く、

「さ、夜もすっかり更けました。今晩じゅうに、宮中に戻って今日の首尾をご報告申し上げなくてはなりませんから……」

と言いながら、急いで帰ろうとする。

はや、月は西の山の端《は》に傾いている。空は冴《さ》えざえと澄み渡って、風はひやりと涼しく、草むらにすだく虫の声も、泣け泣けと誘っているように聞こえて、命婦も母君も、そ

の庭近きところから立ち離れがたい思いであった。車のところで、命婦は一首の歌を詠じた。

鈴虫の声の限りを尽くしても

長き夜あかずふる涙かな

鈴虫（今の松虫）もああして鳴いております。それにつられて私も声の限りに泣いて泣いて、どんなに泣いてもこの秋の夜長を泣き尽くしてもなお涙は尽きません

そんな歌を詠じて、なかなか車に乗り込めない。母君も端近《はしぢか》い御簾《みす》の内から歌を返した。

「いとどしく虫の音《ね》しげき浅茅生《あさぢふ》に

露おき添《そ》ふる雲の上人《うへびと》

こんなに夥《おびただ》しく虫も鳴き私も泣く草深い宿に、なおもまた、新しく涙の露を添えてくださる雲の上の人ですこと

いっそお恨みごとまで申し上げたくなります」

母君はこんなことを伝えてよこした。

折も折だから、とりたてて趣深いお土産などあるわけもなかったが、ただ、亡き更衣の形見に、というので、なにかの用のために取っておいた装束一式に髪上げの調度のかれこれなどを添えて、母は命婦に託した。

若宮づきの若い女房たちだって、更衣の死に際会《さいかい》して悲しいことはいうまでもなかったが、もとより内裏勤めを朝に夕にし慣れていたので、こんな草深い邸に逼塞《ひっそく》しているのはいかにも寂しく、たがいに宮中での帝のご様子などをあれこれ思い出しては語り合っていたところであったから、命婦の伝言によって若宮を参内させることになったことを知り、それなら急いで参内しましょうと、母君に繰り返し勧めてみるけれど、母君は、こうして目《ま》の当たりに娘に死なれた不吉な身の上の自分が若君に付き添って参内するというのも、とかくに世間の評判がよろしくないだろうし、といって、また若宮一人を参内させたら……あのかわいい子を片時だって見ずにはいられぬ思いなのだから、一人だけ参内させるなんて、なんとしても気がかりでもあるし、などと、とつおいつ思い屈して、さっぱりと若宮を参内させることもできずにいるのであった。

命婦の復命

命婦が帰参すると、帝はまだお寝《やす》みになっておられなかった。ああ、お寝みになることもできないんだわ、と命婦は、陛下のお姿にしみじみと感じ入った。

御殿の御前《おまえ》の坪庭には、秋の草花がたいそう美しく咲き誇っている。帝はそれをご覧になるふりをしながら、亡き更衣のことを思いわびている。そうして、気の利《き》いた女房ばかり四、五人を密《ひそ》かにお側近くに侍《はべ》らせて、なにくれと物語をさせておいでのようにみえた。

この頃、明け暮れにご覧になる『長恨歌《ちょうごんか》』の絵屏風《びょうぶ》があって、その絵は宇多《うだ》天皇の御意《ぎょい》によって描かせ、また絵に合わせて伊勢《いせ》の御《ご》や紀貫之《きのつらゆき》らに詠ませた和歌や、また漢詩もとりどり書かれているのだが、帝は、そのいずれをご覧になっても、ただ玄宗《げんそう》皇帝と楊貴妃の悲恋のことばかりを、口癖のように仰せになる、そんな日々が続いている。

帰参した命婦を召して、帝は更衣の里がたのこと、若宮のことなど、あれこれとお尋ねになる。命婦は、今しがた見聞きしてきた感慨深いことどもを、そっとお話し申し上げた。そして、母君から贈られたお返事の文をご覧になると、次のようなことが書いてある。

「たいそう恐れ多いお手紙を頂戴いたしましても、草深い宿には置き所もございません。またこんなありがたい仰せに接しますについて、ただもうわたくしの心のなかは、千々《ちぢ》に乱れるばかりでございます」

こんな訳もないことが書いてあって、奥に一首の歌が詠んである。

荒き風ふせぎしかげの枯れしより
小萩がうへぞ静心《しづこころ》なき

世間の荒々しい風を防いでいた木が枯れてしまった今となりましては、
その木に守られていた小さな萩の身が気にかかって、気が休まりません

かようにいささか失礼な歌を詠んであったのだが、帝はこれをご覧になっても、

「しかたあるまい、まだ心が悲しみに乱れているのであろうからね」

と優しく大目に見てくださることであろう。

そういう帝ご自身もまた、そんなふうに取り乱した心ざまを人に見せまいと、一生懸命

とかく「……こうやって逢うに心の工夫を巡らされるけれども、どうしてもこらえることがおできにならぬ。とかくは、更衣を見初《みそ》めたころのあれこれやら、さまざまのことを思い続けるばかりで、「……ああ、あれが生きていた頃は、片時だって離れてはいられなかったのに、こうやって逢うことができずにいても、日々は過ぎていくものだな……」と我とわが心に驚かれる。

「それにつけても、あれの父、故大納言の遺言を違《たが》えず、ああして宮仕えの志を固く守って入内させてくれたその喜びの返礼として、なんとかしかるべき位にもつけてやりたいと思っていたものだったのだが、なあ……いやいや、今更そんなことを言っても、甲斐もない」

と、帝は仰せになって、しみじみと、かの母君を思いやられる。

「もっとも、更衣はああいうかわいそうなことをしてしまったが、若宮も生まれ出たことだから、それについては、いずれちゃんと身の立つようにしてやる機会もあるだろう。せめて、その母に、孫の出世を楽しみに長生きせよ、と伝えるのだよ、いいね」

などおっしゃった。

命婦は母君から託された更衣形見の品々を帝のご覧に入れる。帝は、これがあの長恨歌に出てくる幻術士《げんじゅつし》が冥界から持ち帰ったという証拠の釵《かんざし》であったら、どんなにうれしかったろう、などと思ったりもされるが、もとより甲斐もないことであった。帝は、一首の歌を詠んで朗詠される。

尋ねゆく幻もがなつてにても
魂《たま》のありかをそこと知るべく

ああ、あれの魂を探しに行ってくれる幻術士でもいてくれぬものか。人づてだっていい、せめてその魂がどこにいるということだけでも知りたいから

絵巻物に描かれている楊貴妃の姿は、どんなに上手な絵師が描いたとしても、しょせん筆には限りがあるから、生きている人間のような色香には乏しい。太液池《たいえき》のほとりの芙蓉《ふよう》の花のように美しい顔《かお》ばせ、未央宮《びようきゅう》の庭の柳のようなほっそりとしなやかな体つき、そういう楊貴妃の姿そのままに、唐《から》らしい装束も麗しく描いてあるのをご覧になっても、帝の心には、更衣のあの人懐《ひとなつ》こい、そしていかにもかわいらしかった様子が思い出されるばかりで、どんなに美麗な花や鳥を引き合いに出そうとも、とうてい更衣のあの魅力は喩《たと》えようもなかったに、と悲しまれるのであった。そうして、朝に夕に、かの長恨歌の「天にありては願わくは比翼《ひよく》の鳥となり、地にありては願わくは連理《れんり》の枝《えだ》とならん（もし天上にあ

っては、私たち二人は翼を共有する鳥となりたい、地上にあっては、年輪の一つにつながった枝となりたいね)」という一句を言い交わして、どうかそのような、いつまでも翼を並べ枝を交わしあう仲でありたいね、と約束したことも想起されると、その約束も果たせぬはかない命であったことが、かぎりなく恨めしかった。

かにかくに、秋風の音、虫の音《ね》、なにつけても帝はただただ悲しく思われているというのに、さて例の弘徽殿女御のほうでは、いっこうに帝のご寝所に参上することもなく、折しも月の美しい夜、深夜に及ぶまで平然と管弦を奏でて遊んでいる。その物音が聞こえてくるにつけても、帝は、まったく興ざめな、そして気に障《さわ》ることだとお聞きになっている。このごろの帝のご苦悩をお側《そば》で見聞きしている殿上人《てんじょうびと》や女房なども、その弘徽殿から聞こえる管弦の音を、聞くに堪えぬという思いで聞いている。

弘徽殿女御という人は、気が強く険《けん》のある人柄であったから、おそらくは、たかが更衣ふぜいの死んだ程度のことなど物の数ではないというように黙殺して、こんな仕打ちをするのであろう。

やがて月も沈んだ。帝はまた歌を朗吟される。

雲のうへも涙にくるる秋の月
いかですむらむ浅茅生《あさぢふ》の宿

こうして雲の上の宮中でも涙にくれて曇っている秋の月だ、まして草深いあたりでは、どうして澄《す》むことがあろう。やはり涙にくれて住《す》むのであろうな

かく、更衣の里の母の身の上を、またそこにいる若宮のことを、かれこれ思いやりながら、帝は、灯火《ともしび》を掻《か》き上げ掻き上げして、深更《しんこう》まで起きておられる。右の近衛府《このえふ》の宿直《とのい》役のものが、なにがしくれがしと、名乗りを上げているのが聞こえてくる時分になった。夜も丑《うし》の刻《とき》(午前二時頃)になったのである。

さすがに、いつまでも寝ずにいては、人目にも立つといけないので、帝はご寝所にお入りになるが、まどろみさえされることが難しい。明日は早朝に起きなければと思うにつけても、……ああ、長恨歌の絵屏風には、「玉すだれ明くるも知らで寝しものを夢にも見じと思ひかけきや(玉の簾《すだれ》を上げることもせず夜の明けるのも知らずに共寝をしたものを、こんなふうに夢にも見ぬことになろうとは、かつて思ってもみなかったものを)」と詠まれてあったが、更

衣が存命のころは、二人で朝まで袖を交わして眠ったことだった……などと思い出されてならない。

こんなことだから、今では玄宗のように、朝のご政務を怠られるというようなこともあるように見える。

なにぶん、お食事なども進まれず、ただ朝食のお膳には形だけ箸《はし》をお付けにはなるけれど、清涼殿《せいりょうでん》のほうで召し上がる昼のご正餐《せいさん》などは、まったく別世界のことのように興味をお示しにならないので、給仕をする者どもはみな、この帝のご懊悩《おうのう》のさまを拝見して、こもごも嘆いている。給仕の者に限らず、帝のお側仕えの者共はみな、男女を問わず、こんなことでは実際弱ったことだな、と口々に嘆きあった。

〈……いかに前世からの宿縁があったか知らないけれど、更衣の生前は、あれほどたくさんの人々の非難や恨みが積もっていたのもお構いなく、ともかくあの更衣のことにかかわりのあることとなれば、もう理性を失《しっ》したご様子になってしまって、その更衣が死んだ今となったら、こんどはもうこの世の中のことをいっさい思い捨てたようなありさまにならされる……ああ、まったく困ったものだなあ〉と、玄宗皇帝のことなどまで引きあいに出して、嘆き囁《ささや》きあった。

若宮参内、更衣の母の死

それからしばらく月日が経って、若宮はやっと参内してきた。見れば、まったくこの世の人とは思えぬくらい、美しく、また立派に大人びているので、帝は、かえって不吉だとさえ感じられる。美しすぎる子は悪霊に魅入られて夭折《ようせつ》するかもしれぬと信じられていたからである。

明くる年の春。若宮は四歳になった。皇太子の決定という時にも、帝は、弘徽殿腹の第一の宮を飛び越えて、この更衣腹の二の宮を立太子させたいとまでお考えになるけれど、いかさま、この子にはしかるべき後見人というものがいない。また、そのように物事の順序を弁《わきま》えぬ仕方《しかた》は世の人々がとうてい肯《うけが》うことはあるまじきことゆえ、無理にことを運べば却ってこの子の身のためにもなるまいと、あえて口には出されずにしまわれた。

されば、陛下があれほどまでにご愛惜であったけれど、そうそうご自由にはならなかったのだなあと、世の中の人たちは囁きあい、弘徽殿のほうでは、ほっと一安心というところであった。

更衣の母、若宮にとっての祖母は、娘の死後まったく心を慰めるよすがとてもないまま、悲しみに沈んで、ただただ娘のところへ行ってしまいたいと、そればかりを願った甲斐があったのであろうか、とうとう死んでしまった。帝はそれをお聞きになって、また悲しく思われること限りがなかった。若宮が六歳の時のことである。

さすがに六つともなれば、祖母の死も弁え知る年ごろで、この度の別れのことは聞き知って焦がれ泣いた。亡き祖母は、今はの際《きわ》になるまで、年来ずっと馴《な》れ親しんできた孫君だのに、こうして後に残して先立つことの悲しさを、繰り返し繰り返し言い残したことであった。

若宮のかがやかしさ

若宮は七歳になった。

今は内裏にのみ過ごしている。

読書始《ふみはじ》めの儀を執り行なわせて、学ばせてみると、これがまた世にたぐいなく賢い子であった。帝は、この子があまりに聡明《そうめい》なので、それもまた不吉なことのようにさえ思われる。聡明な子ほど若死にしやすい、とも考えられていたからである。

「こうも美しく聡明な若宮を、もはや誰も誰も憎まれるということはあるまいね。なにしろ、母君を亡くされているという、かわいそうな子なのだから、皆かわいがってやっておくれ」

と帝は仰せになって、弘徽殿などにお出ましの時にさえ、お供としてお連れになり、そのまま御簾《みす》の内にまでもごいっしょされる。さすがに、荒くれの武士でも、仇敵《あだかたき》であったとしても、この君を見てはついつい口元が綻《ほころ》ぶというほどのかわいらしさゆえ、さしもの弘徽殿女御までもが疎略《そりやく》にすることもできない。

この弘徽殿女御の腹には一の宮のほかに、女の御子が二人あったが、いずれも若宮の美しさの前にはまるで比較にもならなかった。

そのほかの妃たちも、まだ幼い若宮から身を隠すということもせずにいたが、この若宮が、子どもながら自然とにおいたつ美しさを漂わせて、見るものが恥ずかしくなるような容姿であったので、女たちは、見るたびに、〈たいそうすてきだけれど、でもどこか気の許せない遊び相手だ〉というように思っているのであった。

若宮が漢学などの学問に優れていたのは当然のところとして、その他の優艶《ゆうえん》な技芸の方面、琴や笛などの技量も宮中に轟《とどろ》くほどの腕前で、その他、あれもこれもといい続けていけば、あまりにも素晴らしすぎて、ちょっとうそ臭いと思われてしまうかもしれないと、いやになるほどの貴公子ぶりであった。

高麗人の予言、若宮の臣籍降下

その時分に、高麗人《こまびと》が来朝したことがあったが、その一行のなかには、人相を見る達人がいたのを帝はお聞きになって、お召しになりたいとは思われたけれど、宇多天皇が残されたご遺誡《ゆいかい》に、外国の者は直接に対面してはならぬとあったのを憚《はばか》られて、ひそかに、この若宮を使節の宿泊している鴻臚館《こうろかん》まで遣わしたのである。それも、後見人のような形でお世話をしている右大弁《うだいべん》という臣下の子というように見せかけて連れていったところ、この人相見の名人はたいそう驚き、またしきりと首をひねっては怪しむのであった。

「このお方は、国の親ともなり、帝王の位にのぼるという相がございますが、といって、そういう方として見ますと、国は乱れ民は苦しむことあり、と判ぜられます。さりながら、帝王でなくて輔弼《ほひつ》の臣として判じてみますと、それもまた違う、とこう占われますなあ」

と、こんなことを言う。右大弁も、もとより才覚高き博士《はかせ》なので、この人相見の高麗人とかれこれ言い交わしたことは、いかにも興味深いことであった。

かくて右大弁と高麗人は、互いに漢詩漢文などを交換して、いよいよ今日明日にも帰国という日になった。

高麗人は、かく世にも稀なる若君に出会えた喜びや、喜びが大きかっただけに別れの日が来たことが却って辛いというような心を、あれこれと面白く詩に作って若宮に贈ると、若宮もまた当意即妙にしみじみとした別離の詩など作られた。このことを、高麗人は限りなく称賛し喜んで、並々ならぬ贈り物などを若宮に奉呈したのであった。これに対して、朝廷のほうからもこの人相見の高麗人にたくさんのご褒美が下しおかれる。

そんな大げさなことになって、結局この事実は誰もが知るところとなった。帝ご自身は何も漏らされなかったにもかかわらず、かくては弘徽殿女御の父右大臣《うだいじん》までがすっかり知るところとなった。右大臣は、〈若宮の人相を秘密裏に外国人に占わせるとはいったいどういう下心があってのことであろうか〉と、疑いの心を抱かずにはいられない。

帝は、しかし、ご自身日本式の観相学を弁えておいでで、若宮の相はすでに占っておられた。その結果、高麗の人相見の申したほどのことは既にご判断済みなのであった。だからこそ、今までこの君を親王にもせずにおかれたので、さすがに本職の人相見は大したものだと合点されて、果たしてそういう相であるなら、位もない親王というようなあやふやな身分で、しかも、外戚《がいせき》の後ろ楯もないままに、宙ぶらりんな形にしてはおくまいと、そう考えておられる。自分が天皇の位にあるのだって、いつまでとも定めがたいのだから、いっそ皇族を離れて臣下の位に降《くだ》し、そうして朝廷の輔佐役として活躍させるというのが将来もっとも確かな道だと、そう帝は思い定めておられる。だからこそ、この君には、学問技芸おさおさ怠りなく修学させるのである。

若宮は、なにをさせても抜群の才覚で、かくも聡明なる君を臣籍《しんせき》に降すというのはいかにももったいないという気もしたが、といって、親王にでもなれば、こんどはもしや立太子でもさせて皇位につけるおつもりではないか、というあらぬ疑いを受ける可能性もあるから、星占いの名人に命じて、この若宮の行く末を占わせてみても、やっぱり高麗の人と同じことを申した。そこで、さては、臣籍に降して源《みなもと》の姓を賜るのがよかろうと、すっかりお決めになっていたのである。

藤壺の宮、入内す

何年経っても、帝は、亡き桐壺の更衣のことをお忘れになる時がない。お慰めにもなるかもしれぬと、それなりの姫君たちを入内させてはみるけれど、とてもとても、かの更衣に並べて考えることだけでも難しいと、どんな姫君にも疎《うと》ましい思いを抱かれるばかりだった。

しかるに、先の帝の四《し》の宮《みや》（第四皇女）は、その容貌《ようぼう》の素晴らしいこと、天下の評判であった。その御母后《ごぼこう》も、この姫のことをならびなく愛育してお育てになったのであったが、帝の近侍《きんじ》の女官典侍《ないしのすけ》という人は、じつは先の帝のときに近侍に上がった人で、四《し》の宮《みや》の御母后の御殿にも親しく出入りしていたことがある。そんな関係で、四の宮が幼少のころからよく見知っていたし、また今でも、ちらりと拝見する機会がある。

あるとき典侍は、こんなことを申し上げた。

「亡くなられた桐壺の御息所の美しさに似た方をと思って心がけておりますが、わたくしも、先の帝、また先の先の帝と三代にお仕えしてまいりましたけれど、なかなか、ちらりと似た方だって見かけることがございませんでした。けれども、この先の帝のお后さまの御殿においでの四の姫宮さまは、それはもう御息所にたいそうよく似たご容貌にお育ちでございますよ。ほんとうに、世にもめずらかなほどの美しいお方でございますもの」

帝は、それはほんとうのことだろうかと、お心を留められ、懇篤《こんとく》に御母后にお願いしたのであった。

これを聞いて、御母后は、肝を潰《つぶ》す。

〈まあ、とんでもない。くわばらくわばら、あの東宮《とうぐう》の母親の弘徽殿という人は、ひどく意地悪で、桐壺の更衣があそこまで蔑《ないがし》ろにされたという前例もあり、まったく縁起でもないことです〉と、用心して、愛娘《まなむすめ》の四の宮を入内させることなど、すっきり思い立つというわけには到底行かなかったが、とかくするうちに、御母后は世を去った。

かくては、四の宮も後ろ楯を失ってなんとしても心細い身の上とならざるを得ぬ。そこで帝は、

「それならば、ただ私の女御子《おんなみこ》たちと同じように思うことにしようよ」

と、まことに懇篤なる申し出をなさる。

これには、御母后の御殿にお仕えしている女房たちも、また四の宮の兄君の兵部卿《ひょうぶきょう》の親王《みこ》なども、四の宮がこのように心細い身の上でいるよりは、いっそ帝のご親切をお受けして、内裏生活をさせてみたら、寂しい心も慰むにちがいないと思うようになり、ついに参内させることに決まった。この方が藤壺《ふじつぼ》の宮である。

なるほど、その姿形といい、様子といい、怪しいほどに桐壺に似ている。しかも、こちらは桐壺とは異なり、もともとが帝の姫御子であるから、身分も段違いに高い。そんな風に思って見るせいか、むしろ桐壺よりもいっそう素晴らしく感じられ、さすがにどんな人もこの姫をあしざまにはもて扱うことができないから、帝がどんなにご寵愛になったとしても、とやかく批判することなどできはしない。

藤壺の宮は、かくて何一つ不足のない身の上となった。思えば、桐壺は、もともとの出自からして、他の后たちが見許すことができない者であったのに、あいにくと帝のご寵愛が並外れて深かったのが不幸のもとであったのだ。

かくて、帝は、桐壺を失った悲しみをすっかり忘れるというわけでもなかったのだが、しかし、いつしかお気持ちに変化が生まれ、藤壺と語らっている時ばかりは、こよなくお心が慰むというふうになっていったのは、これまた胸打たれる事実であった。

源氏の君の藤壺への思慕

今は源氏の君となった若宮は、帝のお側から離れないので、帝がいつも足しげくお渡りになるお妃がたは、恥ずかしがって姿を隠して、などということはできがたかった。このお妃がたは、どなたもみな我こそはとそれぞれに自信のある容貌ではあったけれど、源氏からみれば、母親という世代の人ばかりである。しかし、藤壺の御方《おんかた》だけは、まだたいそう若くて、かわいらしくて、しきりと隠れようとするけれど、どうしても物陰から漏れて見えるということがある。

源氏にとっては、もちろん、母の桐壺の面ざしなどは少しも記憶にはないけれど、それでも、典侍が、

「お母さまによくよく似ていらっしゃいますよ」

などと言うのを聞けば、若くて世慣れぬ心は、なんとしても魅《み》せられずにはおられない。自然、藤壺の側に行ってみたいし、まつわりついてもみたい、と思うのであった。

帝にとっては、源氏も藤壺も、どちらも限りなくかわいいもの同士なので、こんなこともおっしゃる。

「どうか、疎《うと》んじたりせずに、かわいがっておやり。不思議なことなのだけれど、そなたを若宮の母というふうになぞらえてみてもいいような気がするのだ。だから、この子がまつわりついてきても、無礼だとは思わずに、どうかかわいがってやっておくれ。面差《おもざ》しや、とくに目もとの様子など、ほんとうに若宮は亡き母によく似ている。だから、そなたが若宮の母に似通って見える以上、あの子の母として不似合いなこともあるまい」

源氏は、幼心にも春秋《はるあき》の花や紅葉につけて、なにかと藤壺に対する好意を表わすようになった。

すると、弘徽殿女御のほうでは、もとより藤壺の宮をも快《こころよ》からず思っているので、源氏が藤壺に好意を寄せれば寄せるほど、また亡き桐壺更衣への憎しみも立ち添うて、不愉快千万だと思うようになった。

帝は、藤壺をば世界にたぐいのない美人とご覧になっている。また世に名高くもある藤壺の麗しい姿ではあるが、源氏の活き活きとした若々しさは喩えようもなく美しいのであってみれば、世の人はみな「光る君」と称賛したことであった。藤壺もこれに並んで、帝のご寵愛も光る君とはまた格別なものがあったので、「輝く日の宮」と世人《よひと》は呼んだのである。

光源氏の元服

かくて源氏は十二歳になった。元服《げんぷく》の年である。

あまりにもかわいい少年なので、この君の童姿《わらわ》を変えるのは残念な気もしたけれど、例のとおり元服の儀式を執り行なう。帝は、手ずからかれこれの世話を焼かれて、本来定まっている儀式に、なお種々のことを加えて綺羅《きら》を尽くされた。そのありさまは、先年、東宮が元服の儀を挙げられた折、宮中の南殿（紫宸殿《ししいでん》）で執り行なわれた諸々の儀礼が盛大であったその騒ぎにおさおさ劣らぬばかりの盛儀となった。宮中の各役所で賜った饗宴《きようえん》にあっても、内蔵寮《くらづかさ》、穀倉院《ごくそういん》など、公《おおやけ》の規則通りぬかりなく調進《ちようしん》したけれど、それでもなお不足があってはいけないというので、特段の勅命が下され、さらにあらん限りをつくして見事に調製したことであった。

清涼殿《せいりようでん》の東の廂《ひさし》に、東向きに玉座《ぎよくざ》の椅子《いす》を立て、元服の冠を被《かぶ》るご当人の座、そして加《か》冠《かん》役の大臣の座が、帝の玉座の御前に据えられている。

夕刻、申《さる》の刻《とき》を期して源氏が入ってきた。みづらを結《ゆ》うている源氏の面差しやその顔の色つやなど、どうかこのままにしておきたい、様変えて大人の男の姿にしてしまうのは、いかにももったいないと思わずにはいられない。

大蔵卿《おおくらきよう》が、調髪の役を務める。この麗しいみづらの髪を切るあいだ、大蔵卿が、いかにも心苦しい表情でいるのをご覧になって、帝は、〈ああ、今日のこの盛儀を、亡き御息所(桐壺)が見たなら、どんなに喜んだことであろうか……〉と、また思い出しては、涙をこらえがたいところだったが、ぐっと我慢をして気を取りなおしておいでであった。

滞《とどこお》りなく冠を戴《いただ》き、休息所にいったん退出し、そこで装束を替えてから、東の庭に降りて元服に感謝する所作《しよさ》を帝に捧《ささ》げる。その様を見るにも、並み居る人皆が涙を落とすのであった。まして、帝は、どうにもこらえることがなりがたく、最近では藤壺への寵愛によって紛れることもあった桐壺への思慕の念が、またもや、以前のように蘇《よみがえ》ってきて、押し返し悲しく思われるのである。

こんな年端もゆかぬ身で元服などさせては、髪上げによって容姿が悪くなってしまうのではないかというお疑いも、帝はお持ちであったが、実際には、こうして元服が済んでみると、またおどろくほどの美しさが加わったように見えた。

左大臣の姫君、源氏の妻となる

この儀式で加冠の役を務めた左大臣と皇女出身の妻の間に生まれた姫君があって、たった一人の姫だというので丁重に扶育《ふいく》していた娘を、東宮の后にという所望もあったのだが、左大臣がなにかと思案してぐずぐずしていたのは、つまり、この源氏の君に縁付けたいという念願を持っていたからなのであった。そこで、この際、陛下にご内意を伺ったところ、

「そういうことならば、この際、後見する妻と定まった女もいないようだから、添い臥《そぶし》の妻として定めたらよかろう」

というありがたい御意を賜ったので、左大臣はきっとそのようにしようと思い定めた。

いったん控えの間に下がって後、参列の人々がお酒を頂戴する段になって、源氏は、親王がたの座席の末に着座した。すると、源氏のすぐ下座《しもざ》に左大臣がいるという順序になっ

たので、このときとばかり、左大臣は、娘の輿入《こしい》れのことを耳打ちするのだが、まだまだうぶな年ごろとあって、源氏は、どう返答したらいいのかも分からないのであった。

帝のお言葉を、内侍《ないし》が承《うけたまわ》って、宣旨《せんじ》として伝達する。そういう形で左大臣にお側近く参上するようにお召しがあったので、大臣は参上する。こたびの儀礼滞りなく務めた褒美を、帝の側近の命婦《みょうぶ》が取り次いでお下げ渡しになる。それは、白い大袿《おおうちき》に御衣《おんぞ》一領と、まず決まりどおりの品々であった。帝から杯《さかずき》を頂戴する、そのついでに、お歌を賜った。

いときなきはつもとゆひに長き世を
ちぎる心は結びこめつや

幼きものが冠を着するについて、その初めて結ぶ元結《もとゆい》に、そのほうは姫と若君との契りの願いを込めたかね

そんなお心のこもったお言葉を賜って左大臣を感激させるのであった。左大臣はさっそく歌を返奏する。

結びつる心も深きもとゆひに
濃きむらさきの色しあせずは

さようでございます。たしかにその思いを結び込めていたしましたうえは、
元結の濃き紫の色が、長く褪《あ》せずにいてくれること、
源氏の君のお心が変わらぬことを祈るばかりでございます

こんな歌を詠んで、左大臣は、やおら長橋《ながはし》から庭に降りて報謝の舞踏を奉《たてまつ》った。これに対して、帝から左大臣に、左馬寮《ひだりのつかさ》の馬、蔵人所《くろうどどころ》の鷹を、褒美として下しおかれる。清涼殿正面の階《きざはし》のもとに、親王がた、また上達部《かんだちめ》どもが立ち並び、一人一人に、応分の褒美など頂戴する。その日の、源氏から帝への献上の品々、檜《ひのき》の曲物《まげもの》にいっぱいの肴《さかな》、籠《かご》に満たした果物など、すべてを後見役の右大弁《うだいべん》が承って調製させたのであった。それより下々《しもじも》の役人どもにまで下賜《かし》になる弁当や、唐櫃《からひつ》にいっぱいの反物《たんもの》など、それはもうあたり狭しと積み置いてあるのは、かの東宮の元服の時よりもはるかににぎにぎしいのであった。

東宮の元服には、さまざまいかめしい規則があって自由にはならないが、臣籍《しんせき》に降《くだ》った源氏のそれともなれば、却って自由になるので、限りなく盛大に華美に執り行なわれたのである。

その夜、左大臣の邸に、源氏の君が訪れた。この婿取《むこと》りの作法は、いまだかつて聞いたことがないほど、盛大にもてなしたことであった。まだまだ子どもらしい様子の婿殿であったけれど、左大臣の家中の者どもは、ひとしく、なんとまあ不吉なくらいにかわいらしい方だ、と思ったことであった。

女君――後に葵の巻に詳しく語られることに因んで、葵上《あおいのうえ》と呼ぶことにしよう――は、じつは源氏より少し年上で、源氏のほうがひどく若く見えたので、女君自身は、なんだか不釣り合いで気詰まりなこと、と思っているのであった。

左右の大臣家の威勢

左大臣は、帝のご信頼厚く、その上女君の母宮というかたは帝と同腹の皇妹《こうまい》に当たるというわけで、父方、母方いずれの家柄も申し分なく、しかもこの度は、源氏の君を婿に迎えられるという栄光まで添うという、めでたいうえにもめでたいことになった。

かくては、東宮の祖父であるから、やがては天皇の外戚として天下を支配すること疑いなしと思われていた弘徽殿女御の父右大臣の権勢も物の数でないというほど、左大臣家の威光が勝るということになったのである。

左大臣には、何人もの夫人との間に、たくさんの子どもがあったが、なかでも、女君と同腹の兄は蔵人《くろうど》の少将《しょうしょう》という位にあって、これもたいそう若くて美男ときている。そこで、右大臣としては、左大臣とあまり仲良くはないけれど、このままほうってもおけないので、大事に育てていた四の君を、この蔵人の少将に縁付けたのであった。

かくて、右大臣家では、ちょうど左大臣が源氏を婿として手厚くもてなしたのに負けず劣らず、大切にこの婿殿をもてなしたのだから、左右の大臣家いずれも、いってみれば、これ以上は望めないというくらいの婿舅《むこしゅうと》の間柄なのではあった。

とはいえ、源氏の君は、帝が常にお側においてかわいがっておられるので、そうそう気安く左大臣家に下がって過ごすというわけにもいかぬ。しかも、心のうちには、ただかの藤壺のことばかりを、世にたぐいなき素晴らしい方だと思い焦がれ、〈自分も同じく妻にするなら、藤壺のような人を得たいものだが、似る人もないほどの美しさでいらっしゃる、これに比べると、左大臣家の姫君は、たしかに大切に育てられた美しい人ではあるが、やっぱりつまらぬ〉などと感じられて、ただただ幼いなりに藤壺への思慕の念ばかりが募り、心も苦しいほどであった。

しかし、今、元服を済ませた身になっては、もはや帝も以前のように御簾の内まで入れてはくださらない。

せめては、管弦の御遊《おおん》びの折々に、藤壺が琴を奏するのに合わせて源氏が笛を吹く、その楽《がく》の音《ね》で微《かす》かに思いを通わせ、またほんのりと漏れ聞こえる藤壺の声を聞くことで辛うじて心を慰めているばかりであった。だから、源氏にとっては、藤壺のいる内裏に居るということばかりが好ましいことに思えるのだ。

そのため、宮中に五、六日居ては、左大臣の方にほんの二、三日下がる、という程度で、絶え絶えにしか通っていかないのだが、それでも、左大臣家のほうでは、なにぶんまだ幼いお年ごろだから、無理もなかろうと、強いて思うことにして、せいぜい源氏のために心を尽くしてもてなしをする。たとえば、身の回りのお世話をする女房たちにしても、凡庸な者でなく一級の女房を選《え》りすぐって奉仕させる。また源氏のお気に召すようなさまざまの催しごとなどをして、ともかく一生懸命に務めているのであった。

源氏は、宮中では、もともと母君の局のあった桐壺、正式には淑景舎《しげいさ》という御殿に私室を与えられ、しかも母君存命のころにお仕えしていた女房たちも、そのまま手放すことなく奉仕させていた。そのいっぽうで、母君の実家のお邸は、わざわざ修理職《すりしき》・内匠寮《たくみづかさ》の名匠どもに宣旨を下されて、天下無双の立派さに改築を施された。

もともと庭の木立や、築山《つきやま》のたたずまいなど、素晴らしい邸であったが、さらに池を広く作り直し、大勢の職人が入ってにぎやかに造作したところであった。

〈いっそ、こういう邸に、藤壺の宮のような理想的な妻を迎えて一緒に暮らしたいものだが……〉と、源氏は今の身の上を嘆かわしいものに思い続けている。

この光る君という呼び名は、かの高麗《こま》の人相見が源氏を称賛してそのように名付けたものだ、と言い伝えたとのことにて……。

帚木
<small>ははきぎ</small>

源氏十七歳の夏

光源氏と頭中将

光源氏《ひかるげんじ》、と名ばかりは厳《いか》めしいのだが、じっさいには、その光も打ち消され兼ねないような感心しない行状が多かったように評判されていた。しかし、そのような色好みのあれこれを、後の世までも喧伝《けんでん》されて、軽率な人だという悪名《あくみよう》を流してはさらに一大事だ、と源氏は思っている。だから、注意深く包み隠している密《みそ》かごとまでも、こうして語り伝えてしまおうという人の、なんと口の悪いことであろうか。

とは申せ、源氏はたいそう世の評判を気にして、できるだけまじめぶって過ごしていたから、それほどなよやかに色めいた浮気話もなくて、もしこの時分の源氏のありさまを、あの色好みで名高い『交野《かたの》の少将《しようしよう》』の物語の主人公に見られたなら、さぞ嘲《あざけ》り笑われたことであろう。

源氏がまだ近衛府《このえふ》の中将《ちゆうじよう》というような位にあった頃のこと、その時分には、宮中に居るのだけを居心地の良いことに思って、妻の待つ左大臣《さだいじん》邸には、時々しか出かけることがなかった。

これを、左大臣かたでは、もしやどこかにお心を乱される女でもできたのではないかと疑心暗鬼になっていたが、いやいや、じっさいのところ、源氏は、そういう浮《うわ》ついた、そしてどこにでもあるような、軽はずみな浮気沙汰《ざた》などは好まない性分であった。それでも、まれまれには、よせばいいのにと思われるような、身分違いやらなにやら、気苦労の種となるような恋ばかり一心に思い詰めるというところがあるのが、あいにくなところで、そのため、あまり芳《かんば》しからぬ行状もなくはなかった。

梅雨の長雨が続いて晴れ間もなかった頃、たまたま内裏《だいり》ではなにかと物忌《ものい》みの謹慎生活が打ち続いて、帝《みかど》――この帝を桐壺の帝と呼ぶことにしよう――の近侍《きんじ》たる源氏も、たいそう長期間の宮中待機を余儀なくされていた。左大臣の邸《やしき》では、あまりに源氏の訪れがないので、どうしても気がかりで、また恨めしくも思っていたが、せめてはなにくれとなく新しい趣向の装束などを源氏のために新調して待ち続けている。

いっぽう、大臣の子息がたは、宮中の源氏の宿直《とのい》の間へ伺候《しこう》しては、よろしくお相手をしている。なかでも、帝の妹を母に持つ頭中将《とうのちゅうじょう》（もとの蔵人《くろうど》の少将）は、とりわけ源氏と親しくおつきあいしている間柄で、管弦の楽を奏する折も、またそのほかの遊びに際しても、他の人よりはずいぶん心安《こころやす》だてに、なれなれしく振舞っていた。

頭中将のことは、右大臣かたで大切な婿《むこ》としてこの上なくお世話をしていたのだが、この正妻の待つ邸には、中将もまた行くのを面倒がって、よその女のところにばかり通っていくという、移り気の色好み男である。

この中将は、実家左大臣邸でも、自分の居室のしつらいをまばゆいばかり立派に飾り立てて、そこに源氏が出入りするにつけても、いつだって行動をともにし、学問であれ音楽であれ常に一緒、というわけで、自分では源氏にもおさおさ劣らぬ者と自負しつつ、どこへでも源氏にまつわりついて過ごしている。そんな関係で、自然と源氏に対する遠慮の心もなくなり、内心に思っていることを包み隠さず打ち明けたりして、いかにも睦《むつ》まじげなつきあいをしているのであった。

雨夜の品定めの発端

なすこともなく一日雨に降りこめられて、しんみりした宵《よい》、なお雨は降り続いて、宮中の殿上《てんじょう》の間のあたりも、なんとなく人気《ひとけ》がすくなく、源氏の宿直の間にもいつもよりはのんびりした空気が流れている。源氏は、油火《あぶらび》を灯《とも》して、その薄明かりのもとで、漢籍《ふみ》などを読むともなく見ている。

頭中将が来ている。

中将は、源氏の身近に置いてある厨子《ずし》から、色とりどりの手紙をあれこれと引っ張り出しては、その中身を読みたがる。

「そんなに言うなら、とくに差し障《さわ》りのないやつだったら、ちょっとは見せてあげてもいいですよ。だけど、なかには見せにくいものもありますからね……」

と、中将が勝手に見るのを許さない。

「いやいや、そういう差し障りのあるような親密な人からの手紙……、見られちゃ困るもののほうを、見たいんですけどねえ。そこらのありふれたのだったら、僕のようにつまらない男だって、まあそこそこに遣《や》ったり取ったりして見ている。だけど、女たちが、とりどりに恨めしく思っている時のとか、君を待ち焦がれている夕暮れころの手紙とか、そういうのこそ見どころがあるってものではありませんか」

中将は恨めしそうに言い返した。

しかし、考えてみれば、源氏にとってほんとうに大切な、そして誰にも知られたくないような手紙は、こんないい加減な厨子に入れてそこらに抛《ほう》っておきはしない。別のところに深く取り隠してあるに決まっているのだから、ここにあるのは、いわば二流の、どうでもいいような女からの文に違いない。

中将は、それらの手紙を、あれこれ取り上げては、ちょっとずつ見てみる。

「いやはや、それにしても、ずいぶんいろんなのがありますねえ」

そんなことを言いながら、この手紙はなにがしからのだろうかな、そっちのは誰それにちがいない、などと当てずっぽうに尋ねるのを聞くと、図星《ずぼし》のこともあり、またまるで見当外れなことを想像している場合もあって、源氏は可笑《おか》しく思ったが、それでもほとんど口を開かず、なにやかやとごまかして、しまいに、とうとう取り隠してしまった。

「そういう君こそ、面白い恋文などたくさん持ってるんじゃないのかな。それをこっちにも見せてくれるなら、まあ、僕のほうの手紙箱だって気持ちよく開けてあげてもいいというものだけど……」

源氏がそうからかうと、中将は応《こた》える。

「なんの、ご覧になりたいような面白いのは、ちっともありはしませんよ」

そんなことを言い言いするうちに、中将はふと述懐《じゅっかい》し始めた。

「いやあ、それにしても、女というものは、これなら太鼓判とでもいうか、これといって難点のない女を見つけるってことは難しいなあ、とこのごろつくづく分かってきましたよ。……ただ表面的なことだけで、字はそこそこうまいし、折々に歌を返すとか、そういうことを心得て器用にこなすということであれば、まあ、それなりにできる女も相当にいるように見えます。だけどね、じゃあ、その技芸一つを取り上げて、その道の巧者《こうじゃ》を選ぶというようなことになれば、その選に必ず入るというほどの腕前の人はほんとに少ない。自分の得意わざだけは、それぞれすっかり一人前のつもりで、人のことは下手くそだのなんのと平気で悪口を言う。まったく笑止千万ですよ。だいたいね、箱入り娘で、親どもがねんじゅう付いて回って一生懸命扶育《ふいく》する、そうして深窓の令嬢として将来を期待されてるなんてうちは、……なにしろ誰も実体を知らないわけですからね、なにやらちょっとばかり出来るという程度の才芸を噂《うわさ》に聞いて、男どもが心を動かすということがあるでしょう、ね。だけど、そういう令嬢は姿形もかわいらしく、おっとりと育てられて、若くて時間だってたっぷりあるわけだから、あの人が習うなら私も、なんてわけで、熱心に稽古《けいこ》に打ち込む結果、自然となにかの一芸に格好のつくこともありますよ。親や親類などは、むろん欠点などはひた隠しにして、まあまあの方面をうまく取り繕《つくろ》って話しましょうからね。こっちはなにも知らないんだから、なんの根拠もなく『ありゃだめだ』などと、そうそう当て推量に決めつけるわけにもいかず……でね、もしやほんとに出来るのかなと思って調べてみれば、まあ、がっかりせぬことはまずありますまい」

と、そんなことを言うと中将はため息をついた。

その様子は、どうやらよほど経験を積んでいるように見えるので、源氏としては、その意見におしなべて賛成とも思わなかったが、ある程度は自分にも思い当たるふしがあるのであろう、にやっと微笑んで混ぜっ返した。

「さてなあ、君の言うように、まるっきりなんの才芸もない女なんて、いるだろうかね」

「いやそんなことは言ってませんよ。そもそもね、まるっきりなんの才芸もないなんて女だったら、初めっからだまされやしない。思うに、まったくなんの取り柄もないくだらない女と、最上級の素晴らしい女とは、数からいえば、同じように少ないのではないかな。けれども、とかく上流の家に生まれ育つと、周囲の者たちがねんごろに扶育する関係で、欠点なんかはみんな隠されているに決まってる。とすると、自然、外から見ればなんだか実際以上に素晴らしく見えるというわけです。これにくらべれば、中流の家の女だったら、人それぞれで気質《かたぎ》もさまざまだし、その個性などもはっきり見えて、善《よ》し悪《あ》しがあからさまに分かるということが、まあ多いでしょうね。下層の女？……そんなのはまったく興味のほかというものでしょう」

などなど、ずいぶんとくまなく女のことをわきまえている様子なので、源氏はもうすこし訊《き》いてみようかと思った。

「じゃ、訊くけれど、その上中下の三階級ということね、それって、案外と分けがたいところがありはしないかな。たとえば、もともと上流の家の生まれだけれど、零落《れいらく》してしまって、今では低い位に甘んじて貧乏だ、という家の娘などはどうだろう。反対に、もともと大したことはないそこらの家だったのが、たまさかに出世して今では三位《さんみ》以上の位に上《のぼ》り、人並みに上達部《かんだちめ》などと呼ばれている家柄もある。そういう成り上がりの連中は、得意満面で家のうちを飾り立て、どうだ俺の家はおさおさ人には劣るまいと思い上がっている、これらは、上中下のどこに分けるべきかね」

源氏はなかなか答えがたいところを突いた。

左馬頭と藤式部の丞がやって来る

中将が答えに窮していると、折よく、そこへ左馬頭《さまのかみ》と藤式部《とうしきぶ》の丞《じょう》の二人が、長雨の物忌《ものい》みに籠《こも》りましょうと言って現われた。

この男たちは、当代名うての色好みどもで、しかも弁が立つ。答えに窮していた中将は、大喜びで、彼らを歓待すると、今までの議論の概《おおむ》ねを説明して、その是非の判断を求めた。

得たりやおうと、男たちは議論に加わったが、その内容はたいそう聞きにくいことのみ多かった。

左馬頭の弁――上流と中流について

まず、左馬頭が口火を切る。

「そのね、成り上がりってやつですが、もともとが上流の家柄でない場合は、世間の人の正直な思いとしては、やっぱり、どこか違うのではありませんかな。また、その高貴なるお家が、次第に経済的に逼迫《ひっぱく》して、時世に乗り遅れて落ちぶれ、家名もすっかり衰えてしまったというような場合は、まあやはり、いかに気位が高くたって、万事は手元不如意《ふにょい》です。なにかと格好悪いことも出来《しゅったい》する道理でしょうから、結局、成り上がり組も落ちぶれ組も、判定としては中流に置くというのが妥当なところでしょうな。中流といえば、まず受領《ずりょう》なんてのがその代表でしょうけれど、あれらは、地方の役人としてあくせく右往左往している。受領は、もとからの中流でしょうけれど、そのなかにもまた中の上とか、中の下とか、いくつも段階がありますから、こうなれば、その中流のなかでも、それなりに見識のある者を選ぶのが、まあ今どきはよろしかろうと、そう思いますよ。

思うに、上達部だなんて威張っていても中身はいいかげん、なんて連中よりも、参議《さんぎ》になる資格のある四位《しい》というあたりの者で、声望《せいぼう》も十分にあって、しかも、元来の家柄はそれなりの貴族だというようなのが、おっとりと上品に振舞っている、そういうのはいかにもからりとしていい感じではありますまいか。なにしろお金がありますから、邸《やしき》のうちの調度や装飾に不足もなく、娘の教育にも、おさおさ怠りなくお金をかけますからね。どうしたって、そういう家には、けっこう立派な育ち上がりの娘だってたくさんおりましょう。となると、そんなのが入内《じゅだい》して、御上《おかみ》のお目にも留まるというわけで、思いがけぬご寵愛を賜《たまわ》るなんて例もいくらもございましょう」

と、こんなことをまくし立てた。すると源氏が笑いながら話の腰を折る。

「と、いうことは、つまりすべては金の有り無し次第と、そういうことだろうか」

「そんな、あなたらしくもない、わけのわからぬおっしゃりようだ」

そう口をとがらせたのは頭中将である。

左馬頭はなおも弁じ立てる。

「いえね、もともとのお家柄も申し分なし、また時流に乗って声望も十分、それで世間では高貴な家と見られているような人の娘であるにもかかわらず、実際の様子や振舞いが今一つというようなのは、事新しく言うまでもないことですが、いったいなにがどうなって、こんな娘が出来たものだろうと、ほんと、がっかりさせられますね。といってまた、家柄もすばらしく、それ相応に娘も素晴らしいとくると、これは当たり前、まったくの当然と思われますから、別段珍しくもなくて、特に心も躍りますまい。さらに、上流のなかの上流ともなると、これはわたくしなどにはとてもとても手の届かぬあたりですから、この際、議論からは除外しておくことにしましょう。

では、どんなのが心にかかるか、ということですが、たとえばです、まさかそんな姫がこの世に生きているということさえ誰も知らない、という状態で、寂しく荒れ果てた草茫々《ぼうぼう》の荒れ邸《やしき》に、思いの外《ほか》にかわいらしげな人がひっそりと住んでいる、なんてのこそ限りなく珍重すべきものだという感じがいたしましょう。どうしてまた、こんなところにこんな人が、と意外な感じがすると、われながら怪しまれるくらい心魅《ひ》かれます。また、父親はもうずいぶんな老人で、むさくるしく太り返っている、で、兄はというと憎ったらしい顔をしている……とそうなると、まさかそんなところに見目麗《うるわ》しい娘がいるわけはないと、だれでもそう思いますでしょ。ところが、そういう家の閨《ねや》のうちに、意外にも美しく気高い娘がいたりして、ちょっとした技芸でも、なにやら妙に嗜《たしな》み深く見える、なんてことがあると、それがまあ大したことのない才芸でも、どうしてどうして、思い掛けない面白さを感じてしまう。もし、どこといって瑕疵《きず》のない正妻選びなどの選考になれば及ぶべくもないとしても、これはまたこれで、けっこう捨てがたいものがございましょうね」

などと言いながら、隣の藤式部のほうをちらりと見る。式部は、〈ははあ、こいつめ、俺の妹が美人の誉れ高いのを知っていて、あてこすっていやがるな〉と思っているのであろうか、むっつりとして返事もせぬ。

黙って聞きながら、源氏は、〈なに、上流の家にだって良い女は求めがたいものを、まして や……〉などと思っているらしい。

源氏は白くふわりと柔らかな下着に、普段着の直衣《のうし》だけを、ゆるりと着こなして、紐《ひも》などは結んでいない。そういうしどけない姿で、ものに寄り掛かっている姿が、暗い灯火の光にほんのりと浮かんで見える。その姿の美しいことは、男にしておくのはもったいない、いっそ女にして眺めてみたいと思うほどの美形である。この人のためには、上《かみ》のなかの上の人を選びだしても、なお満足がいかないというくらいに見える。

左馬頭の弁――妻を娶らば……

さまざまの人の身の上を引き比べて語りながら、左馬頭の弁舌はなおも続く。

「まあなんですな。ありきたりの恋の相手として見る分には別段差し支えがなくとも、いざ自分の正妻として頼りにすべき女を選ぼうとなったら、これはもう、たくさんの女達のなかからでも、なかなかこれだという者は定めがたい。男の世界で、朝廷にお仕えして、しっかりした天下の礎石となるような人材を選び出すというようなことにかけても、じっさい、ほんとうの宰相の器《うつわ》という人物なんて、めったといるものではない。しかし、どんなに賢い人物だとしたって、この国全体の政治ということになれば、一人や二人ではどうにもなりはしません。やっぱり上の者は下の者に助けられ、下の者は上の者を慕《した》って働くというようなことで、全体としては融通がつくというわけでしょう。けれども、家のうちに一人しかいない主婦ということを考えてみると、上役と下役が力を合わせるようなわけには到底いかないから、ただもう主婦一人がなにもかも掌握していなくては、立ち行きません、ね、そうでしょう。となると、しかし、こっちのほうは手腕があるけれど、あっちの方面にはまるでだめとか、とかくそうそううまくはいかぬもの。そう高い水準は望まないとしたって、そこそこのところであってもまずまず出来るという女だって、決して多くはない。

だから、わたくしはべつに色好みの心からあちこちの女を引き比べようというような了見《りようけん》ではさらさらなくてね、まあ結局、適正なる人材を探してさまよっているとでもいいましょうか。……どうせ求めるなら、自分で力こぶを出してあちこちと矯正して育てるなんて手間もいらず、これならまあいいかというような人と一緒になりたいものだと思って、選び始めたところが、いまだに誰も見つからないというわけなんです。

考えてみれば、結婚なんてものは、そうそう自分の思ったとおりにはいきゃしますまい。けれどもね、仮に結婚前に思っていた通りでなかったとしても、見初《みそ》めたころには、なんか良いところがあったわけでしょう、ね、だからその頃に契《ちぎ》った縁《えん》を大事にしてですね、捨てたりせずに共に生きていく、そういうことであれば、その人自身もまじめな人柄だと見えるし、またそうやって添い遂げる妻のほうにも、さぞ良いところがあるんだろうなと、周囲の人も思ってくれるということになる。……あーあ、しかしです、実際のところをわたくしが拝見しておりますとね、この夫婦は偉いなあ、自分などはとても及ばないなと感心するようなためしはあったことがない。わたくし程度の人間でも、そんなわけだから、まして、源氏さま、中将どののような公達《きんだち》の奥方選びとなったら、さてさてどれほど素晴らしい人を探したらいいものでしょうかなぁ」

左馬頭の長広舌《ちょうこうぜつ》はいよいよ佳境《かきょう》に入る。

「思うに、若い娘ってものは、きれいです。なにしろ苦労などしたこともないというお年ごろだ、みなそれぞれにせっせと磨き立てておしゃれに余念もない。それでね、たとえば手紙を書くときにも、おっとりと言葉を選んでね、文字だって墨黒々《すみくろぐろ》とはっきり書いたりはしませんでしょ。うっすらほんのりとした字で書いてくるから、男どもは、なんだか頼りない感じに受け取って、もう一度はっきりと見てみたいものだと思ってしまう。それで、ついつい娘たちからの文を心待ちにしているということになる。そこからもう少し進んで、かすかな声でも聞き取れるくらいの距離まで接近したとしますね。そういうときも、若い娘というものは、年増女《としま》とは大違いで、なんだかこう息の下にかすかになにか言うとでもいいましょうか、ろくに聞こえないんだから、欠点のあらわれようもない。そういう若い娘心ってものは、よくわかりませんね。

また、もう少しこうなよなよっとした女っぽい色気のある子もいますが、そういうのが良いかと思っていると、こんどはあまりにも感情過多で、その気になって相手をしていると、恨んだり拗《す》ねたり、とかくあだめいたことになりがちだ。こういうのが、まず女の第一の難点でしょう。

では妻というものはどうでしょうか。妻の仕事のなかで、まずいい加減にしてはいけないのは、夫の世話ということに違いない。しかし、そういうことについて、あまりにも、趣味的過ぎるってのも困りものです。で、別段どうということもないような事柄にまで、いちいちそのご趣味を振り回されると、そりゃ余計なことだがなあと思われたりもする。

といって、逆に、趣味もなく、ともかく実用一点張りで、髪の毛を耳のところにぐっと挟み込んだりしましてね、色気もなんにもなしのおかみさんが、夫についてまったく世帯じみた世話ばかりしているというのも、またいかがかと思われますよ。なにしろ、夫というものは、朝夕に家を出たり入ったりして、世の中でいろいろなことを公私にわたって見聞きするでしょう。良いこともあれば、嫌《いや》なこともある。そういう見聞のあれこれを、親しくもない人に、わざわざどうだこうだと話すにも及ばない。そこはやっぱり、一番身近な妻に、……もしその妻が話の分かる女だとしたら、なんといっても妻に真っ先に話したいのが人情ってものです。ですけれどね、嬉《うれ》しいことだったらひとりでに笑いも込み上げようし、あるいは悲しくて涙が出るようなことがあるかもしれない。あるいは、わけもなくむかっ腹が立ったりね、なににもせよ、自分の心の中だけに収めておけないようなことが多いのが人生です。しかし、家に帰って、妻がろくでもない女だったら、あいつに聞かせたってなんにもなりゃしないと思うと、自然とそっぽを向くようなことになって、誰にも言えず独り笑いをしたり、ああ、などと独りごちたりもする。そういうときに、この無神経な女房が、『なにごとでございますか』などと、口を差し挟んでくる。そのつらを見れば、とんだ間抜けづらをして夫を見上げてみたりね、まったくの話、こんなのはどうにもなりはしません。

……と、そういうことになると、結局、いちばん良いのは、ただひたすらおっとりと子どもっぽい女で、しかも心の従順な人をね、なにかにつけていろいろと教育して、妻として育てていくのが良いのかもしれません。そういう人は、最初はどこか頼りないかもしれないけれど、教育する甲斐《かい》があるというものですからね。

そりゃね、女と二人差し向かいで過ごすだけなら、そんなふうに、かわいらしいというところに免じて、あとは目をつぶってもいられましょうが、なかなかそれだけでは済みますまい。男は家を離れて仕事をすることもありますから、そういう折々は、しかるべきことを妻に言いやって処理してもらうことが必要ではありませんか。また折々の行動についても、それが趣味的なことであれ、または実用的なことであれ、まずは自分の頭でちゃんと考えて処置できるということが肝心でしょう。それができないで、ろくに思慮分別のない女は、まことに取り柄もなく、頼もしくもないという欠点があって、やっぱり夫としては困るというものでしょう。だから、普段は多少無愛想で、とっつきが悪いような感じの女のほうが、いざ事あるときには、ぐっと水際立《みずぎわだ》った処理をして感心させてくれるということもあるんだろうと思いますね」

まったく、左馬頭の弁舌は隅々まで行き届いていたけれど、しかし、結局結論となれば、どういう女がいいとも定めかねて、左馬頭は、大きなため息をつき、また、論じ続ける。

左馬頭の弁――ひとつの結論

「こうなると、結局出自《しゅつじ》家柄の上下にもよらない、容貌《ようぼう》もこの際不問に付すことにしましょう。で、まるで取るに足りない愚か者であるとか、あるいは性格的にひどくひねくれているとか、そういう決定的欠点がないならば、ともかく真面目で、落ち着いた心を持った妻を、人生の伴侶《はんりょ》として頼りに思っておくほかはありますまいね。その上で、まあ余得としてなにか嗜《たしな》みがあるとか、気の利いたところがあるとかしたら、それは喜ばしいことだくらいに思っておくことにして、また多少足りないところがあったとしても、そうそう無理にそれ以上は求めないことにしておきましょうか。ただ、浮気っぽいところがなくて、安心して家を空けていられる、またあまり焼きもち焼きでないというような性格の妻だったら、それがなによりなので、うわべの情趣なんぞは、年とともに自然と身に付きますよ。

左馬頭の弁は続く――出家してみせる妻

うわべ、と言えば、そうそう、こんな例もありましたなあ。さる奥方、うわべばかり繕《つくろ》うようなところがありましてね。ほんとは嫉妬《しっと》心が燃えているのに、じっと我慢して、恨み言をいうべき時も、知らん顔して我慢していた。そうやってうわべばかり平気な様子で貞淑《ていしゅく》を気取っていたんでしょう。ところが、それもやがて堪忍袋《かんにんぶくろ》の緒《お》が切れる時がきて、思い余ってしまったんですね。なんともかんとも言いようのないような、ぞーっとするような文面の置き手紙を書き、その奥には悲痛なる歌など詠んで書きつけ、さらに自分を思い出してねと言わんばかりの形見の品なども添えてですね、どこか深い山奥だったか、遠い海辺だったかに身を隠してしまった、ということがありましたが……。わたくしなども、子ども時分に、女房どもが物語など読んで聞かせてくれたのを聞いていますと、そういうような悲しい物語がよくあった。すると、なにやら心に悲しく響きましてね、この主人公の女も、さぞ辛い思いをしたのであろうと、同情して涙など流して聞いたことでした。が、今思うには、そういう女の行状ってものは、いかにも軽はずみだ。わざとらしいやり方でもある。だってそうじゃありませんか。夫はまだまだ深い愛情を持っているというのに、その夫を蔑《ないがし》ろにして、いかに目の前に辛いことがあったとしてもですよ、夫の心などまるで分かろうともしないで、逃げ隠れて、夫に気を揉《も》ませようというんでしょう。そうやって、夫の心を試みているんです。そんなことをするから、しまいには一生の物思いをしなくてはならぬような破目《はめ》になるんです。なんというつまらぬことでしょうか。

そういう女は、家出をしたについて、『よくぞそこまでご決心なさった』などと周囲の者におだてられて、自分も段々とその気になって、しまいには、出家して尼になってしまうというようなことにもなりましょう。その当座は、なにか行ない澄ましたようなつもりで、もうドロドロした男女関係に戻ろうという未練もないかもしれない。けれども、やがて知人などが訪ねてきて、『さてもさても、ああ、悲しゅうございますね。よくぞ、こんなご決心をなさいましたこと』などと言いながら、残してきた夫に出家した妻の消息を伝えたりしたんでしょう。すると、あながちに嫌いになって別れたわけでもない夫が、そのことを聞いて涙を落とす。で、召使いや、昔から仕えている女房などが、それをまた家出した妻のところへ来て報告するわけです。『旦那さまのお心には、まだまだ深いご愛情があったものを……出家されてしまったなんて、なんてもったいないことを』とか、そんなことも言われたりしてね。そこで、自分でも額のところの髪の毛を掻《か》き探ってみれば、なにしろ尼になって髪を短く切ってしまったので、パラッと頼りない感じがして、やはり後悔はやみがたく、泣きべそを掻く、なんてことになる。こうなれば、どんなに堪《こら》えても涙が流れ始めて、それからは、なにかにつけて泣いて泣いて、後悔ばかりしているということになるわけで、……出家なんていっても、こんなことで未練の涙をこぼしているようでは、仏さまも、さぞ心の濁った奴だとご覧になるにちがいありますまい。されば、ずっと俗世に居る人よりも、そんなふうに生半可な出家ぶりでは、却《かえ》って後世《ごせ》が悪いということにもなりましょうなあ。

また、家出したけれど、なお前世からの宿縁が切れなかったかして、尼になる前に発見して連れ戻したとしても、それからまたちゃんと元の鞘《さや》に収まるでしょうかねえ、心もとないものだ。やっぱり、そんな揉めごとはなしで、ずっと添い遂げて、辛いときも悲しいときも、なにがあってもなんとかして乗り越えてきた仲であってこそ、ほんとうの宿縁も深く、また愛情もひとしおというものでありましょうからね。

あるいは、妻に対して気持ちがいいかげんで、あちこちの女に心を移しているというような浮気者の夫を恨んで、あらわに色めきたって喧嘩《けんか》をする、というようなのも、阿呆《あほ》らしいことですぞ。仮に夫が他の女に心を移したとしても、愛情がまるっきりなくなってしまったわけでもあるまいし、最初に見初めた頃はどこか美質をもってるからこそ惚《ほ》れたに違いないので、そういう美点を今でもどこか愛《いと》おしく思っているでしょうからね。だとしたら、夫はいつまでもそういうところを心に持っているはずなのに、肝心の妻がギャアギャアと夫を責めたてたりすると、さしも百年の恋もいっぺんに冷めるという道理で、すっかり縁が切れてしまったりする。

だから、すべてのことは、ひたすら穏やかにね、仮に恨みに思うようなことがあっても、露骨に責めちゃいけない。ただ、分かってるのよ、といわぬばかりにちらりとほのめかす程度にしておいて、ともかく事を荒立てず、あっさりと注意をする程度にしておけば、結局、夫の愛情も深まっていくというものです。多くの場合、夫の浮気心などというものも、妻の持て扱い次第で収まっていくものなんですからね。

といっても、あまりに単純に夫を放任して好き勝手にさせていると、当初は気楽でかわいげがあるように見えるけれど、自然自然と軽んじられるという結果になるから、これもある程度はちゃんとつないでおくようにしなくてはいけませんな。岸に繋《つな》いでいない舟が、行方もしれず漂っていくようなことになるのも、まあ、面白からぬものだ。そうじゃありませんか、ねえ」

と舌を振るって弁じ立てると、頭中将は、思い当たるふしがあると見えて、深くうなずいた。

そして次には中将が口を開いた。

「さしあたっては、すてきだ、いいな、と思って心に適《かな》った人に、どうも不実の行ないがあるかもしれないと疑われるようなことは、そりゃ一大事です。でも、もし仮に自分のほうに過《あやま》ちがないとして、そういう場合には、相手の行動についても大目に見て寛容な扱いをしておくならば、やがてなんとかかんとか仲を修復していくことができそうに思われるのですが、……いやいや、そんな簡単なことでもないかな。どちらにしても、男女の仲にはなにかと行き違いはありましょうから、いつもおっとりと我慢して多少のことは大目に見て過ごすということよりほかに、これという良い思案もありますまい」

と、こんなことを言って、自分の姉妹《おんなきょうだい》、つまりは源氏の正妻に当たる葵上《あおいのうえ》こそは、この規範にぴたりとあてはまるな、と思って源氏のほうをちらりと見やる。すると、源氏は、聞いているんだかいないんだか、寝たふりをして一切黙殺の構えと見える。そのことを、中将はいかにも不満に、また心中《しんちゆう》面白からぬことに思うのである。

かくして、左馬頭は、この際の物定めの博士《はかせ》というような立場になって、まさに滔々《とうとう》と弁じ続ける。中将は、その博士の説く道理をすっかり聞き尽くそうと、狸寝入《たぬきねい》りをしている源氏とは対照的に、ひしと熱を込めて、受け答えをしているのであった。

左馬頭の弁は更に——技芸の道と婦徳

「男女《おとこおんな》のことも、なにか他のことに喩《たと》えて考えてご覧になったらよろしい。たとえば、木工職人が、なんでも思いのままに作り出すという場合でも、なにかこう特殊な遊び道具で、とくに規範的な作りようが決まっているというわけではないというときは、思い切って洒落《しやれ》た趣向に作ってみるのも、なるほどこんな作りようもあるのかと面白いもんです。また時と場合によって、珍しい趣向を出してみる、そうするとその新機軸の工夫に目を奪われてなるほどと感心する場合もある。けれどもね、そういう臨時の作り物でなくて、真に大事な品物、つまり、ほんとうに立派な格式の家の調度の装飾とするようなものの場合は、しかるべき用途や定格があらかじめきちんと決まっているものですが、そういうのを規範どおりに狂いなく作り上げるということになると、それは生半可の小手先ではどうにもなりません。やはりほんとうの名人上手の手腕というものは、こういう品物を作らせてみるとはっきり分かります。

また、宮中の絵所《えどころ》にも、上手な絵描きはいくらもおりましょう。そのなかに、絵の輪郭を墨描《が》きしていくようなのは、またそのなかでも手腕のある者が選ばれておりますから、次々に描いていくのをちょっと見ただけでは、誰がほんとうの名人であるかまでは、なかなか判じかねます。ではありますが、その絵がたとえば誰も実物を見たことのない蓬萊《ほうらい》の山だとか、あるいは荒海のなかで怒り狂う怪魚だとか、または唐国《からくに》のどう猛な獣《けもの》どもだとか、目には見えない鬼の顔だとか、そういうおどろおどろしい絵柄は、なにしろ誰も見たことはないんですから、どんどん空想にまかせて、あっと驚くような姿に描いたらよろしいんです。実際にそれが本物には似てないかもしれないとしたって、まあそんなものかと思って見る。しかし、世の中の当たり前の山のたたずまいだとか、水の流れ、どこにでもあるような家々のありさま、そういう珍しからぬものを描くとなると話は別です。誰もが目に親しいものなんですから、ハハァなるほどなあと納得できるように、なつかしくなごやかな風景などを、静かに描き込んで、遠景にはとくに険しくもない里山の景色などを、木々がこんもりして、いかにも俗世を離れた風情に点綴《てんてい》し、なお近景には、人里の垣根の内を描くについても、いちいちに特段の配慮や技法を用いなどしてね、ほんとうの上手というものは、とりわけて筆勢が格別で、すばらしい絵を描きます。こうなると、そこらの二流絵師などはとうてい足下《あしもと》にも及ばないというふうに見えますな。

書《しょ》の道だってそうです。ほんとうの書の心得もなくて、ただあちらこちらの一点一画を、すーっと長く伸ばして走り書きしたりして、なんとなく洒落《しゃれ》たらしく書いているのは、ちょっと見には、いかにもひとかどの書き手のように見えますが、しかし、やっぱり正真《しょうしん》の骨法《こつぽう》をおろそかにせず規矩準縄《きくじゅんじょう》に書き得た手は、一見すると何の技巧もないように見えますが、改めて、かれこれ並べて見れば、どうしたってその実直な筆法のほうに心が魅《ひ》かれる。というふうに、かりそめの技芸のようなことでも、そうなのですから、まして女の心なんかは、なにかの折節《おりふし》につけて、こううわべばかりを格好付けて見せるような表面上の風情などは、しょせん信頼すべきものではないと、わたくしなどは思うばかりでございますなあ。こう考えるに至った経験など、いささか好き者めきますが、申し上げましょう」

こんなことを言いながら、左馬頭は膝《ひざ》を乗り出した。すると源氏は、ふっと目をさましてみせる。中将は、左馬頭をすっかり信奉しているようで、じっと頬杖《ほおづえ》をついて対座している。と、こんなところの様子を見ていると、話はたかが女の話題なのだが、なにやら、法師が世の道理を説き聞かせている所みたいな感じがして、ちょっと可笑しかった。

こういう時、とかく人は、自分の色事話なども、ついつい ぺらぺらと喋《しやべ》ってしまうものである。かくて、話はとうとう左馬頭の告白話になった。

左馬頭の告白——指食いの女

「もうずいぶんと昔ですが、わたくしがまだ下《した》っ端《ぱ》の時分です。憎からず思っていた女がございました。先ほど申しましたように、この女は大した器量でもなく、若い頃はなにしろ女が欲しくてたまらないわけでしたから、別にこの女を終生の連れあいにと思ったということでもなく、どこか頼りにはなりそうだとは思うものの、いまひとつなにかが足りない。そこで私も、あちこちの女と関わったりしておりました関係で、この女がひどく焼きもちを焼きます。こっちはそれが不愉快だ。せめて、こんなふうに感情的にならないで、おっとりとしていてくれたらなあ、と思うけれど、でも、ともかく嫉妬心のかたまりになって、私を疑っては責め立てる。それがうるさくてね、いったいどうしてこの女は、自分のような取るに足らない男にそこまで執着するんだろうと、かえって気の毒になる折々もあって、それで自然に私の浮気も収束するというようなこともありました。

この女のありようというものは、なかなかいいところもあったのです。なにしろ、もともと自分として出来そうもないと思っていた事でも、ともかく私のためには、なんとかしなくちゃと思って、ない知恵もしぼり、不得意な方面のことでも、がっかりするような女と思われたくないという一念で努力をする。で、なにかにつけて、そりゃまじめに私の世話を焼いてくれる。それも、ゆめゆめ私の心に適《かな》わないことがあってはいけないと思うんでしょう、一生懸命にね……、最初は、なかなか気の強い女だと思っていたんですが、いっしょに暮らすうちには、あれこれと私のいうこともよく聞くようになって、優しい感じになってきましてね、もともとが器量は良くないと思っているので、なんとかそこも嫌われないようにという一心で、念入りに化粧したり、またあまり親しくない人が見えたときは、こんな不調法な女が出しゃばって私に恥をかかせてはいけないと思うんでしょうか、決して表には出てこない。終始一貫そういう調子でした。だから、連れ添って見慣れてくると、なかなか気立ても悪くないと思えたのですが、なにしろこの焼きもちだけは、どうしても収まりがつきません。

そこで私は一計を案じましてね。これはどんなことでも、無闇《むやみ》とおどおどして私のいいなりになる女にちがいないから、何とかして、もう懲《こ》り懲《ご》りと思うようなことをして、脅《おど》しつけて、この嫉妬が少しでも収まるように仕向け、口さがなく言い募ることもやめさせたい、とまあこんなことを思いましてね。私がもうこんな女はごめんだと思って縁を切ろうと思っているかのような素振りをしてみせたら、それほどまでに私の言いなりになろうという心なんだから、きっと懲りてやめるだろう、とこんなことを思いつきまして……。で、もうそりゃ、わざと冷淡にしてやりました。案の定、女は立腹して恨みごとを投げつけてきた。そこで私は、こう言ってやりました。

『そんなに強情《ごうじょう》を張るんだったら、どんなに俺たちの縁が深くたって、もうおしまいだ。二度と逢《あ》うまい。これが限りとなってもいいと思うんだったら、いくらでもそんな訳の分からない邪推をしてるがいい。もしこれから先も長くいっしょにいたいなら、ちょっとくらい嫌なことがあっても、我慢して、ほどほどにしてほしいもんだ。その焼きもち焼きさえなくしてくれれば、俺のほうはこれからもずっと好きだと思っていられる。段々出世でもして、少しは一人前の人間となっていくときには、お前以外には、正妻として並び立つ人なんかいやしないんだから』

なんてね、こういうことを言って聞かせた。われながら、うまいこと教えたものだがと得意になって、いい気になってまくし立てていたところ、女が、鼻先でせせら笑いましてね。

『あなたが、まるっきりぺえぺえの、取るに足りない身分なのを大目に見て、そのうち人並みにもなってくれるだろうと待っていることは、ちっとも辛《つら》くはありません。でも、そのあなたの不人情さをじっと堪え忍んで、いつかは真面目《まじめ》になってくれるだろうと、その時を果てしなく待つというのは、まったくあてにならない願いみたいだから、私はそれが辛くてたまりません。だから、今はもう、お互いに別れる時が来たみたいね』

なんてことを、癪《しゃく》に障《さわ》る調子で言うじゃありませんか。こっちは頭に来て、そりゃもうひどい言葉を散々に投げつけてやった。すると、女も堪忍袋の緒《お》が切れたと見えて、私の指を一本捕まえると、いきなりガブリッと噛《か》みついて来ましたよ。私は、わざとらしく大げさに痛がって、

『ああ、ああ、こんな傷までも付けられた以上は、いよいよ以《もっ》てもう役所にも行かれない。お前がバカにしたような官位だって、もう絶望というものだ。出世の望みももう消え

うせたから、出家でもして坊主にでもなるしかない体になっちまった』とおどしつけて、『それじゃ、今日こそもうこれっきりのようだな』と言い言い、この噛みつかれた指を折って、大げさに庇《かば》いながらその家を出てきました。その時、伊勢《いせ》物語の古歌をもじって一首、

『手を折りてあひ見しことを数ふれば
　これひとつやは君が憂《う》きふし

（伊勢物語には、指を折って相逢うたことを数えたら、もう四十年になった、とあったけれど）俺達のばあいは、こうしてずっと連れ添ってきた間のことを数えてみたら、お前の嫌なところは、今回の嫉妬沙汰一つだったろうかねえ、そんなこともあるまいよ

こうなっても、お前が怨むことはできまいぞ』

と、こう言ってやりましたが、そうしたら女もさすがに大泣きをしましてね、こんな歌を返して来た。

『憂きふしを心ひとつに数へきて
　こや君が手をわかるべきをり

心憂きことといえば、私のほうがよほどたくさん。
　ずっと心のなかに数えてきて、その数は数えきれないくらいだったのに、
　この一本の指のことだけのために、あなたと手を切る時となってしまったわね』

　などと言い合っておりましたが、本心はそのまま別れてしまおうとも思ってはおりませんでした。しかし、意地を張って何日も何日も文も遣《や》らず、ふらふらとさまよっておりますうちに、……あれは賀茂《かも》の臨時の祭のために奏楽の練習に出ていた日のことですから、十一月《しもつき》の寒い日でしたが、もう夜更けて、ひどく霙《みぞれ》など降っておりましてね、練習仲間とぞろぞろ退出してきたところで、さて別れて家路に就こうと思い、考えてみれば、帰りたいところは他にはなかった。あの女の家なんです。宮中に泊まるというのも味気ないし、といって、なにやら気の置ける女のところへ行くのも寒々しい気持ちがするしで、そうだ、あいつはどうしてるだろうかと、様子見がてらに、雪を払って行ってみることにしました。ああやって爪を食われるほどの大喧嘩をしたところへ、のこのこ出かけていくのもなんだか体裁が悪いとも思ったんですが、でも、こんな夜に我《が》を折って訪ねていったら、あの日以来のわだかまりも解けるにちがいないと、そう思いましてね、行ってみましたよ。

そしたら、灯火《ともしび》をほんのりと壁のほうに向けて、もう寝所《しんじょ》の支度がしてある。そこへやんわりとした、温かそうな夜の衣が、大きな籠にかぶせてあって、なかに炭火を入れて暖めてあるらしいんです。しかも、寝床をしつらえた帳台《ちょうだい》の垂れ絹は、いかにも私の入来《じゅらい》を待っているかのように、引き上げてある。向こうでも、今夜あたりは来るだろうと待っていたらしいんですね。ああ、やっぱりなあ、とその気になって入ってみると、なんのことはない、本人はいやしない。で、世話をする女房ばかりが残っていて、女自身は親の家にさっき帰った、と、こういうじゃありませんか。艶《つや》めいた歌を詠みおくでなし、それらしい手紙を残しておくでもなし、私としちゃあ、ただもうひたすら家にお籠《こも》りをしているような次第で、面白くもなんともありはしません。これにはさすがにがっくりしまして、さては、あれほど口やかましく私を責め立てたのも、ほんとうはそれで自分を嫌いになってほしいという、縁切りを願う心でもあったのかもしれない……そんな風には見えなかったが……と面白からぬ思いのままに、とつおいつ思い巡らしていたことでしたが、それでいて、夜の着物の支度などは、いつもよりよほど念入りに、その色合いといい仕立てようといい、じつに申し分のない仕方なんです。……つまり、あんなふうに私が冷酷に見捨てた後もなお、そうして私のことを思いやり世話をしてくれていたわけなんですね。そうなれば、私のことを全く見捨ててしまおうというようなつもりもないのだろうと、こう愚考いたしまして、あれこれとかきくどいてはみましたが、完全に別れようとも言わないし、私を惑わすつもりで隠れてしまったりもしない、私が恥をかかぬ程度に生返事などしつつ、『どんなにおっしゃっても、今までのように、移り気なお心のままでは、とても見過ごすことはできません。心根《こころね》を改めて、わたくしと落ち着いたお心でおつきあい下さるなら、お目にかかります』

などと言う。そうは言っても、結局、仲が途絶えるということはあるまいと高をくくっていたので、なおしばし懲らしめようなどと思って、心を改めるとも言いやらず、強情を張って綱引きをしているうちに、女は、もうひどく思い嘆いて、とうとう死んでしまいました。ああ、こんなこともあるから、いい加減なことは口にすべきでないと、つくづく思いましたがねえ。

日々暮らしを共にして、なにかと頼りにする妻となれば、あの女あたりで十分よかった……と、今でも折々思い出しますよ。かりそめの風流事《ふうりゅうごと》でも、あるいは実質的な暮らしの大事でも、相談すればかならずちゃんとした意見を持っているやつだったし……。染色の手腕は竜田姫《たつたびめ》が紅葉《もみじ》を染めるのにも劣らず、織物の腕前は七夕の織姫《おりひめ》にも匹敵する、まあ大した女でしたがねえ……」

などなど、今さらながらかわいそうなことをしたと、左馬頭は思い出していた。

中将は、

「その七夕の織姫の腕前のほうはもう少し下がってもいいから、その分、七夕の逢瀬《おうせ》のように長い契りを全うするというふうに行きたかったね。またたしかに、その竜田姫の錦《にしき》、紅葉の色彩には勝るものもないけれど、それだって、ときには色合いがよろしからず、下手くそに染めたときには、色の映えもなく消えてしまうということがありましょう。だからね、世に妻選びはつくづく難しいと議論が定まらぬわけなのでしょうかね」

と、うまいこと言い囃《はや》す。

これに勇気づけられたか、左馬頭の経験談は、また別の女の身の上に移っていく。

左馬頭の告白——木枯の女

「さてさて、また同じ頃、わたくしめが通っておりました女は、いまの指喰いとは格別、人品卑《じんぴんいや》しからず、心ばえもまことにひとかどあるという人で、歌をさらさらと詠み、字も巧みに走り書きするし、琴弾く手つき爪音《つまおと》もなかなか、手といい口といい、みな達者なもので、いつも感心して見聞きしておりました。しかも、けっこうな美形でもあったので、かの焼きもち女のところを気の置けないところとして通ういっぽうで、こちらの女にもときどきこっそりと逢っておりました。で、二股をかけているうちは、この女に、相当に心惹《ひ》かれていたのですが、指喰いのほうに死なれてみると、さあどうしたものでしょう、死んでしまったものは取り返しもつかぬことで、しょうがないから、こちらの美人のほうに通うことにしました。が、しばしば通うようになってみると、なんだかちょっと派手すぎて眩《まぶ》しいような感じがしてきました。なにしろ、変に艶っぽくて色好みというところが見える。そこはどうしてもこちらとして気に入らないので、しっかりと頼りにできる女とは思えません。そこで、わざと通うのを途絶えがちにして様子を見ていると、どうやら、他にこっそりと通わせる男があるらしいことに気がつきました。

十月《かんなづき》のころのことです。月の美しい夜でしたが、内裏《だいり》の勤め先から退出しようとすると、さる殿上人《てんじょうびと》と同道することになりました。で、自分の車に乗せてやったのですが、わたくしが実家の大納言《だいなごん》家まで帰ろうとすると、この人が言うには、『今夜は、じつはちょっと私を待ちかねている人がありましてな。どうもなんだか気になって胸騒ぎがするので……』

というわけです。この女の家は、大納言の家まで行く道々で、どうしてもそこを通ることが避けられません。で、荒れて崩れた築地《ついじ》塀《べい》のところから見ると、池の水に月影が映っている。ああして月影も宿る住み家だというのに、私が素通りするというのもどうかと思われるので、予定を変じてそこで車を降りました。するとその殿上人もそこで降りて、女の家に入っていくんですなあ。どうやら最初から、そういう約束を交わしていたと見えます。この男めが、なんだかひどく上の空の感じでね、門の近くの細長い建物の簀子《すのこ》のようなところにちょいと腰掛けましてね、なにやら月を見上げている。おりしも、霜が降りたんでしょう、菊の花がいたく色変わりして風情豊かに見え、そこへ風に吹き散らされた紅葉が散り乱れている様など、しみじみと、いかにも似付かわしい風景だと見えました。すると、その殿上人は、懐から笛を取り出しましてね、嫋々《じょうじょう》と吹きすさんでは、『飛鳥井《あすかゐ》に、宿りはすべし、や、おけ、蔭もよし、みもひも寒し、御秣《みまくさ》もよし（飛鳥井のところに宿るのがよい。や、おけ、木蔭も良いし、水は冷たいし、まぐさも良いぞ）』なんぞと、催馬楽《さいばら》を良い声で歌ったりしている。おおかた、ここへ泊めておくれとでもいう心でしょうかな。すると女は、よく鳴る和琴《わごん》をしかるべく調弦してあったと見え、やがて見事な腕前で、その笛や歌に合奏して聞かせましたが、なかなかこれが素晴らしい。たまたまこの歌は律《りち》の調べでしたから、女は、ふわりと優しい音に掻き鳴らして、その音が御簾《みす》のなかから聞こえてくる、と、なにしろ演奏してるのが今風の曲柄なので、折しも澄み渡っている月の光に見事に似あっている。男は、ひどく感心して、女のいるらしい御簾のすぐ下のところまで歩いていって、洒落たことを言う。

『この庭の紅葉は、誰ぞ踏み分けて通って来た跡もなさそうな』とね、あの『秋は来ぬ紅葉は宿に降り敷きぬ道踏みわけて訪《と》ふ人はなし（秋が来て、紅葉はこの家に散り敷いたけれど、それを踏み分けて訪れてくる人はいない）』なんて歌をにおわせながら、こしゃくなことを言うじゃありませんか。しかも、そこなる色美しい菊を折って、

『琴の音《ね》も月もえならぬ宿ながら
つれなき人をひきやとめける

こんなに琴の音も月の光も、得《え》も言われぬほど素晴らしいお邸ですが、
それでも、どうやらつれない男を引き止めることはできなかったようですね、

こうして誰も訪れた跡がないようですから
おっとつまらぬ歌を失礼』
などと言う。しかも、
『もう一声、その美しい琴の音を聞いて称賛したい男がここにおります。どうか弾き惜しみをなされますな』
なんぞと、ずいぶん艶冶《えんや》な口ぶりで口説きかかる。すると、この女も、なにやら変に気取った作り声で、こんな歌を詠んで聞かせるじゃありませんか。
『木枯らしに吹きあはすめる笛の音を
ひきとどむべき言《こと》の葉ぞなき
木枯らしに巧みに吹き合わせておいでとみえる、あなたの笛の音ですもの、どうやってここにお引き留めできましょう、わたくしの弾く拙《つたな》い琴の音でも、言の葉でも』
なんぞと、うちつけなことを言い交わしている。私がそこで聞いているとも知らずにね。まあ、そりゃ憎たらしくもなりますよ、私としては。それから、こんどは楽器を替えて箏《そう》の琴を弾き始め、調子も変えて冷え冷えとした盤渉調《ばんしきちょう》に弾きだした。そのはなやかに掻き鳴らす爪音、たしかにいっぱしの才能なのではありましたが、聞いてるこっちは、なんだか目のくらむような感じがしましたなあ。

いいえね、時々面白ずくで語らったりする程度の女房たちなどが、あくまで洒落て色好みらしいのは、はじめからそのつもりで付き合うので、たしかに面白いんです。しかし、仮にそれが時々通う程度の女であっても、通いどころとして、生涯忘れずに付き合おうと思う相手としては、さあどうでしょうか。こんなふうに頼りがいもなく色めき過ぎた女は、どうも信用ならず、嫌《いや》になります。で、この女もこの夜のことがあって以来、結局、ぱったりと通うのをやめてしまいました。

以上の二つの例をかれこれ考え合わせてみますと、いかに若い時の無分別なわたくしであっても、ああいう木枯らしの女のような才を鼻先にぶら下げているようなのは、なにかこう納得のいかない感じ、つまりは頼りにならない思いがしたものでしたなあ。まして分別のついた今となっては、とてもとても、ああいうのはご免をこうむると愚考いたします次第。もっとも、源氏さまや中将どののようにお若い方々は、思いのままにちょっと触れただけで、すぐに落ちる萩《はぎ》の花の露のようなのやら、手に取ろうとするとたちまち消えてしまう笹の葉の上の霰《あられ》のようなのやら、まあつまりは、いかにも艶っぽい色好み女なんてのにご興味を持たれましょうけれど、いやいや、それは若気の至りと申すもの、あと七年もしてわたくしなどの年齢におなり遊ばせば、きっと、なるほど左馬頭の言っていたとおりだと、思い当たられることでございましょう。わたくしごとき賤《いや》しき者の諫《いさ》めながら、ともかく色っぽくて仇《あだ》めいた女には重々お気をつけ遊ばされますように……。そういう女は、えてしてとんでもないことをしでかして、相手をしていた男までも間抜けな奴だという悪名《あくみよう》を被《こうむ》りかねぬものでございますからねえ」

と戒《いまし》めて話をしめくくった。

中将は、またもや熱心に頷《うなず》いているが、源氏は、片頬にほのかな笑いを浮かべたばかりで頷きもしない。それでも、まあたしかに左馬頭のいうようなことであろうとは思っているように見えた。

「どっちにしても、人聞きの悪い、格好のつかない身の上話だね」

源氏がそう言うと、一同どっと笑いあった。

頭中将の告白——常夏の女

「それじゃ、私は、ちょっと愚かな女の話をしましょうか」

そういって、こんどは中将が語りはじめた。

「あれは、ほんとうにこっそりと通うようになった女でしたが、だんだん親しくなるにつれて、そのまま面倒をみてやってもいいような様子が感じられましたのでね、いやいや、長く添い遂げるとか、そういうわけでもありませんでしたが、ただ、馴《な》れ親しむに従って、私のほうもなんだか、いいやつだなと思うようになりまして……。そうしょっちゅう通うというわけでもありませんでしたが、といってすっかり忘れてしまうというわけでもなくて、いささか途絶えがちに、通っておりました。

そうなると、段々に女のほうでも私を頼りにするような気配も見えてきましてね。そんな按配《あんばい》に頼りにするについては、半面また、私を恨めしく思うこともきっとあるだろうと、我ながら思ったことも、ときどきございましたが、女はそんなことは素振《そぶ》りにも出さないんです。ずいぶん間《あいだ》を置いてしばらくぶりに行ってみると、めったと来ない男に対する疎略な扱いでは全然なくて、まるで毎日朝夕に出入りするなじみの男に接するように、ほんとうに普通に接してくれる感じなんですね。その態度が、あまりにもいじらしいので、私のほうでも、『僕がこの先ずっと面倒みてあげるからね』みたいなことも言ったりしたんです。なにしろ、親もすでに亡く、とても心細い身の上の女で、『それならこの方をお頼りして……』と、この私を信頼してくれる、なにかにつけてそういうところが見えますから、私としてもどうにかして世話をしてやりたい、とかわいらしく思うようになったという次第でした。

でもね、女はほんとうにおっとりして穏やかな人柄なので、安心してしばらく行かずに放っておいたところ、私の正妻の周辺の誰かが、女を苦しめるような、ひどい嫌がらせのようなことを、なにかの伝手《つて》を通じて当てこすり言わせたらしいんです。いや、それはあとになって人づてに聞いたことなんですが……。でも、こっちはまさかそんなことになっているとも知らないから、心には決して忘れていたわけでもないのですが、手紙もろくに書かず、ずいぶん時間が経《た》ってしまいました。そうしたら、その女のほうでは、すっかり悲観して萎《しお》れかえっていたらしく、心細くもあったのでしょう……、女との間には、幼い娘などもあったのですが、よほど苦しかったとみえて、あるとき撫子《なでしこ》の花を折って、それに手紙をつけてよこしましたよ」

と、そういって、中将は、ふと涙ぐんだ。

「で、その手紙にはなんとあったのかね」

源氏は膝を乗り出す。

「なに、たいしたことは書いてありませんでしたが、ただ、こんな歌がね……、

『山がつの垣ほ荒るともをりをりに
あはれはかけよ撫子の露

山住みの卑しい家の垣根には雨露《うろ》の恵みも懸かることはなくて、今はもうすっかり荒れ果ててしまいました。けれどもどうか、折々はお情をお掛けくださいませね、
いいえ、わたくしにではなく、その垣に咲いておりますの撫子の花に露がそっと置くように』

とまあ、こんなしおらしい歌を詠んでよこしましたので、ひさしぶりに行ってみたんです。そしたら、いつものように、なんの隔《へだ》てもなくやさしく迎えてはくれたものの、どういうわけか、ひどく物思いに沈んでいる様子が見える。それで、すっかり荒れてしまって

いる庭一面に露が置いているのを眺めながら、虫の声と競うようにさめざめと泣いている、そのありさまは、まるで昔物語の一場面でもみるようでした。

で、私は、さっそく女の歌への返しのつもりで、一首詠んでやりました。

『咲きまじる色は何《いづ》れとわかねども
なほ常《とこ》夏《なつ》にしくものぞなき

とりどりに咲いております花の色はいずれが勝り、いずれが劣るとも区別がつきませぬが、それでもなお、この床をともにする常夏の花にまさるものもございますまいね』

まあ、つまりあの『塵をだに据ゑじとぞ思ふ咲きしより妹とわが寝《ぬ》る常夏の花（花が咲いたなら塵ひとつだって置かせまいと思うのは、愛しい人と共寝をする床、そんな名を持つ常夏の花ですから）』という歌によそえて、撫子の母のほうのご機嫌を取るつもりでした。そしたら、また、こんな歌を詠んでよこしましたよ。

『うち払ふ袖《そで》も露けき常夏に
あらし吹きそふ秋も来にけり

私の袖は、払っても払っても落ちる涙ですっかり濡《ぬ》れております。
そうしてけなげに咲いている常夏の花に、つらい嵐が吹き募って秋《あき》が来たように、
あなたのお心にも飽《あ》きが来たのでしょうね』

この歌にこの女の苦悩を読み取ってやるべきだったんですが、私は気付かなかった。その様子はそんなに深刻にも見えなかったし、ただいさらりとこんな歌を詠んで、心底《しんそこ》から恨んでいるようには到底見えませんでしたからね。……いや、涙を漏らすことはありましたよ、しかしね、私の目に触れるのを恥ずかしがってか、涙を見られぬようにごまかして隠してしまうというような調子でした。……女としては、私を薄情な男だと思っていただろうことはたぶん間違いないのですが、でも、そういう本心を私に気取《けど》られないようにと、必死に包み隠しているふしがありました。恨みがましい気持ちを持っているということを私に知られること自体が、またあいつにとってはなにより辛いことだったんでしょう、今思いますにはね。

しかし、それは後《あと》になって分かったことで、その時の私には、あいつの苦しみなんかちっとも分からなかった。それで、まあ、ここはむこうのほうで心中を知られたくないと思ってるんなら、あまり余計な詮索《せんさく》はせずに、ぐっと気安く考えておくことにしたんです。

むろん、妻がひどいことを当てこすってるなんて、知るよしもなかったわけだしね。で、またずいぶん行かずに放っておいたところ、いつの間にか、跡形もなく失踪《しっそう》してしまった、というわけなんです。

もしまだどこかで生きてるなら、かわいそうに、きっとさぞ辛い思いをしてさ迷っているんだろうな。……私があいつをかわいがっていた頃、もっと煩《わずら》わしいほどにまつわりついたりする様子が見えたとしたら、私もいくらかは、あいつの苦しみを察したかもしれないし、こんな悲しい目には遭わせずにすんだかもしれません。で、もっときちんときちんと通っていって、しかるべき妻の一人として、長く面倒を見てやるということだって出来たはずなんですが……。

二人の間に生まれた娘は、ちょうどかわいい盛りで……、なんとかして探し出して面倒を見てやりたいとは思ってるんですが、いまだに、消息がつかめません。つまり、この女こそ、さっき左馬頭がおっしゃっていた、『わざと家出などして身を隠す、頼りない女』の一例ではありますまいか。あいつは、うわべだけは平気を装っていましたが、内心はよほど辛いと思っていたんでしょう。こっちはそんなこととも つゆ知らず、ただ能天気に思い続けていたのは、今から思えば、まったくやくたいもない私の片思いでございました。

今ごろになって、私もようやく少し忘れることができるようになりましたが、でも女のほうではまた、きっと私のことを思い切ることもできずに、折々は、誰のせいでもない、自分の軽はずみな失踪のせいで、こんなことになってしまって、とでも思って、人恋しい夕方頃に胸を焦がしているというようなこともあるかもしれません。まったく、これこそは、長続きしそうもない、頼りにならない女というのの典型かもしれませんね。私が愚かな女だといったのは、こういうわけなんです。

されば、左馬頭の話に出てきた、あの指に食い付いたという女なんぞも、思い出の種としては忘れ難いかもしれませんが、さーて、一緒に暮らすとなったら、よほど煩わしいことばかりで、どうかすれば、すっかり嫌気がさすなんてことになりかねますまい。また、その琴の音を洒落て聞かせたという女ね、それだって、色好みの罪は軽くありませんよ。

そこから割り出してみますと、いまお話ししたこの頼りない女なんかも、もしかしたら、他に男でも出来て出奔したのかもしれない、という疑いだってないでもありませんからね。いずれの女が良いのか、悪いのか、さてどうにも定めがたいところがありますね。思うに、男女《おとこおんな》の仲なんてものは、すべてこの調子で、十人十色、一長一短、比べて考えるのも意味がないというものではありませんかねえ。そこで、これらの女たちから良いところだけを取り出して、欠点はまるでなくしてしまう、そんな人は世界のどこにおりましょうか。いっそ吉祥天女《きつしようてんによ》みたいなことになりますが、まさか、そんなのを妻にしてはずいぶんと抹香《まつこう》臭くて融通のきかぬことであろうと、それまた困りものかもしれませんね」

と、こんなことを言うので、また、皆笑った。

藤式部の丞の告白――蒜食《ひるく》いの女

「おっと、式部、君のところにも、さぞ一風《いつぷう》毛色の変わった恋の話などもあるだろう。少しずつ話せ話せ」

中将は黙っていた藤式部を責め立てた。

「いやいや、わたくしのような下々《しもじも》の者のところには、お聞かせするような面白い話など、ろくにございませんよ」

などと尻込みするのだが、頭中将は許さない。

「遅いぞ、さっさと話せよ」

と催促するので、式部は、さて何を話そうかとしばし思案顔であった。

「じゃ、お話しいたしましょうか。これはわたくしめがまだ文章生《もんじょうしょう》だった学生《がくしょう》時代のことなのですが、えらく利発なる女の例を見ております。あの左馬頭殿が言われたように、この女は妻としては大変頼りになるところがある者で、公《おおやけ》の事を相談するときも、また私生活上の世俗のかれこれ、心がけを思い巡らすということでも、至って思慮深くて、その学才となれば、生半可の博士なども裸足《はだし》で逃げ出そうかというほど、公私万端に亘《わた》って、なにごともこっちが口を出すことすら難しいというくらいの偉い女でございました。

この女との一件というのは、私がある博士《はかせ》のところへ学問を習いに行っていたころのことで、その博士には娘がたくさんいると聞いて、ちょっとした出来心で言い寄ってものにした女でありました。が、これが、すぐに父博士にばれましてね。さすがに博士だけに、すぐに固めの杯など持ち出してまいりまして、『わが二つの途《みち》歌ふを聴け』なんて、例の『白氏文集《はくしぶんじゆう》』の一節など朗詠して聞かせるわけなんです。つまり博士の言いたいことは、『富家《ふうか》の女《むすめ》は嫁《か》し易《やす》し、嫁《とつ》ぐこと早ければ其の夫を軽《あな》づる。貧家の女は嫁し難し、嫁ぐこと晩《おそ》ければ、姑に孝あり（金持ちの娘は嫁入りが簡単だ、すぐに嫁げるものだから、とかくその夫を軽んずる、貧しい家の娘は嫁入りが難しい。なかなか嫁げないから、いったん嫁になれば、姑に孝行を尽くす)』とでもいうようなことで、貧しい博士の娘だけれど、いい嫁になるから、ぜひ妻に娶《めと》れ、とまあそういう積もりと見えました。

けれども私としては、おおさそんな女を妻としようとも思わず、でもその博士の手前を憚《はばか》って、適当に通うだけは通っておりましたが、この娘、たいそう情深《なさけ》く私の世話を焼きましてね、夜の閨《ねや》の語らいのうちにも、しごく身の為になるような教養話やら、朝廷に仕官《しかん》するに際しての、儒教的な道話やら、七面倒なことばかり話しましてね、手紙なども、女々《めめ》しい平仮名など書きはしません。しかつめらしく漢字ばかりを並べて漢文の書簡という格好で書いてよこします。まあこんなわけですから、女のところへ通うといいながら、その実は学問を習いに行ってるような形で、なかなか縁も切れず、いつしかその女を師匠として、すこしばかり私も漢文など書くことを学びましたが、ははは、今もその学恩は忘れぬものの、なんとしても心を許した家庭を作ろうというには、私のような無学な男では、しょせん釣り合いがとれません。いずれは中途半端な失敗などもしでかして、大恥をかくようなことになりそうに思われました。

ましてや、皆様がたのような上《うえ》つ方《かた》の君には、ここまで秀才でしっかりしすぎた世話女房など、何のお役に立ちましょうか。私などは、こんな奴はつまらぬ、どうしようもない、と思ってはいながら、しかし、なんとなく気に入っているところもあって、もしかしたら宿世《すくせ》の縁があるかもしれないなど思えるふしもあったので、いいかげんに縁がきれずにおりました。……まあ、男なんてのは、他愛もないものですなあ」

式部が話の途中で口を濁そうとするので、中将は、その顛末《てんまつ》を聞きたがった。

「さてもさても、妙な女だねえ、それは」

と、そそのかしてみると、式部は、そそのかされていることは承知ながら、やや得意の鼻をうごめかして、その先を語り継いだ。

「さて、そこで、この女のところへ、久しく通わないでいたことがあり、しばらくぶりに所用のついでに立ち寄ったと思《おぼ》し召《め》せ。そしたら、どうしたものか、いつもどおりにくつろいでいた部屋のほうではなくて、いかにもよそよそしく、障子を隔てての対面だなんて申します。これは、ずいぶん通わなかったので、拗《す》ねてるかなにかだろうと見当をつけ、そんなことなら、いかにもばかばかしいし、またちょうどそれを口実に縁を切ろうかなども思っておりますと、どうしてどうして、そんなことではありませんでした。この利口者の女は、さような軽薄な恨みごとなどするほど修養が出来ていない者ではありませんなんだ。男女の仲については、万事道理をよく悟道《ごどう》して、何の恨みごとも申しませんでした。

で、なにやらせわしない声で、こんなことを申します。

『わたくしは、この数か月、風病《ふびょう》が大層重症になりましたことに堪《た》えかね、極熱《ごくねち》の草薬《そうやく》（大蒜《にんにく》）を服《ぶく》しましたにつき、まことに悪臭が致しますので、対面はご遠慮致します。目《ま》の当たりに拝眉《はいび》致さずとも、雑々《ざつざつ》のご用は承りましょう』

と、まことに殊勝に、かつ四角張って申します。こうなると、私のような無学者は、どう答えてよいものか、見当もつきません。しょうがないので、私はただ、

『承りました』

とだけ答えて、さっさと帰ってきましたが、帰り際に、この女はなお物足りない感じでもしたのでしょうか、

『この香《か》、失《う》せたる時に、どうぞまたお立ち寄りくださいまし』

と朗々たる声で言うものですから、そのまま聞き捨てて帰るのもかわいそうだとも思うのですが、といって、また立ち戻ってゆっくりするという場合でもなし、なるほどその極熱の草薬とやらのひどい悪臭がプンプンしてるしで、どうしようもなくて、すっかり逃げ腰になりましてね。こんな歌を遣わしました。

『ささがにのふるまひしるき夕ぐれに
ひるま過ぐせといふがあやなさ

蜘蛛の動きがはっきりと私の来ることを示していたはずの夕暮れだというのに、
この蒜《ひる》の臭いのしている昼間の間《あいだ》を、どこかで過ごしてこいというのは、
あまりにも筋の通らぬ話じゃないかね

それはいったい何にかこつけて、私を拒絶しようというのかね』
と言うが早いか、とっとと逃げ帰って来ましたが、まるでそれに追いかけるように、
『逢ふことの夜をし隔てぬ仲ならば
ひる間もなにかまばゆからまし

お逢いすることが毎夜に亘《わた》るような睦《むつ》まじい仲ならば、昼間の蒜の臭いのする間にお目にかか
るのも、どうして恥ずかしいことがありましょう。
でも、あなたはたまにしかおいで下さらない、そんな疎遠な仲なのですものね』
と、こんな歌を電光石火で詠んでよこしたのは、さすがにすばやい返歌だと感心したこ
とでありました」

こんな話を、落ち着き払った様子で言うので、みんな呆れ返って、いくらなんでもそいつは作り話だろう、と大笑いになった。

「どこの世界に、そんな女があるもんか」

「そんな女と逢うくらいなら、鬼とでものんびり差し向かいになっていたほうがまだましだ。薄気味の悪い話じゃないか」

と、みんな厄払いのまじないに、爪を弾《はじ》いてみせる。そうして、式部の法螺《ほら》話なんぞどうしようもない、と式部をやっつけ、憎んで、

「どうせなら、もっとましなことを話せよ」

と責め立てたが、式部は、

「なーに、これより珍しい話など、どこにもございますまいよ」

といって、平気な顔をしている。

左馬頭再び弁ず——女文のよしあし

左馬頭が再び口を開く。

「いやはや、男でも女でも、生かじりの連中は、そのちょっとばかりかじったことを、なにもかもひけらかそうとするから、困ったものです。三史《さんし》といい五経《ごきょう》というような学術的な方面を、学者はだしに考究しつくそうなどということは、やっぱりかわいげがないと申せましょうが、といって、女だって世間の公私にわたるなにやかやにつけて、まるっきりなにも知らない無知蒙昧《もうまい》だなんてことはありますまい。そういうことは、なにも取り立てて学ばなくても、多少なりとも才覚のある女ならば、自然と門前の小僧よろしく見聞して覚えることもありましょう。そういうことが行き過ぎると、女だてらに漢字を器用に書き連ねて、たとえば、本来仮名でやりとりするはずの女同士でも、半分以上もぎっしりと漢字で書いてやりとりするなんてことになる。そういうのは、見よいものではないので、あぁ嫌だねえ、この人も今すこしおしとやかだったらよかったのになあ、という感じに見えます。書いているほうは、それほども意識していないのかもしれませんが、そんな手紙は、おのずから男っぽい声に読めてしまったりして、なんだかわざとらしいものです。どうやら身分の高い女房どものなかにも、そんなのがけっこういそうですがね、ははは。

そうかと思うと、和歌の得意ってのがある。その得意の歌詠み方面を鼻にかけましてね、なんでもかんでも和歌、和歌、和歌、だ。それでなにやら乙《おつ》な古詩なんぞを頭から引用したりして、こっちとしては鼻白《はなじろ》むようなとんでもない時に麗々しく歌を詠みかけて来たりする。そういうのはじつに鬱陶《うっとう》しい。即座に返歌をしなければこっちが唐変木《とうへんぼく》ということになるし、そうそう器用に思いつかないような者にとってはまったく迷惑至極です。

またしかるべき節句の行事などのとき、たとえば五月五日《さつきいつか》の節句の折としましょうか、こっちは宮中での競馬《くらべうま》の節会《せちえ》など諸事多端で、忙しい朝の時間には、ろくろく歌など案じている暇はないというのに、のんびりと長々しい菖蒲《あやめ》の根などよこして、そこになにやら和歌を詠んであったりする。返歌を考えてる暇などないので、じつに迷惑です。また九月《ながづき》九日となると、重陽《ちょうよう》の節会ですからな、御前での詩の会などありますからして、こっちは面倒な漢詩句をあれこれ案じ患って忙しいときに、また、菊の露がどうしたこうしたとかいうような歌を詠んでよこして、まるで見当外れのことにつきあわされるなんてのも、大迷惑だ。いや、そういう節句など特別の日でなくても、適切な時に詠んでよこせば、それなりに風情もあろうという歌でも、まるで不似合いな折節《おりふし》に、こっちはそれどころじゃないということなどいっさいお構いなく詠んでよこされると、どうも無神経な奴だと感じられる。

なにごとでも、なんでまたそういうことをするかなあと思われるような折柄《おりから》だとか時節だとか、あいてが迷惑していることも分からないような心の持ち主は、そういう気取った風流ごっこなどはやめておいたほうが無難というものです。すべて、じつはよく知っていることとでも、知らないような顔をしてだまっておき、言いたいことも全部は言わないで、一つ二つは言わずにおいたほうがよろしいのですよ」

こう左馬頭は結論めいたことを付け加えた。

源氏は、左馬頭の議論を聞きながら、ただただあの藤壺《ふじつぼ》の御方《おんかた》のことばかりを、心の中に思い続けている。〈まったく、左馬頭の言っているとおりの、足りないこともなく、また出過ぎたところもない、理想的なお人柄でいらっしゃるなあ〉とその比類なき素晴らしさに思い至るについても、またぞろ胸が苦しくなるのであった。

それから議論は、どういう結論に落ち着くともなく、やがてあやふやなところに落ちていって、いつしか夜が明けた。

翌日、源氏、左大臣邸へ

辛うじて、明けのあしたには、空模様も持ち直した。

こう長く宮中にのみ留まっているのも、左大臣の心中を思うと気の毒な気がしたので、源氏はやっと退出することにした。

左大臣邸に着いてみると、その邸内のありさまといい、また妻の葵上の様子といい、まことに端然《たんぜん》として気品に溢《あふ》れ、どこにも乱雑なところがない。ああ、やはりこの人こそは、あの左馬頭たちが、捨てがたい女として取り立てて論じていた実直な妻、頼りになる女というのに当たるのであろうと思い当たるものの、そうはいっても、正直な気持ちは、あまりにも端正すぎて堅苦しく、相手をするほうが恥ずかしくなるほどおっとりと澄まし返っているのを、源氏は、どこか物足りない感じに受け取ってしまう。お付きの女房たち、中納言の君、中務《なかづかさ》などという美しく若い女房衆を相手に、源氏は、なにくれと冗談などを言いつつ、自分は暑さのためもあって、着物もゆるゆるとくつろげて着ている、その様子は、女房たちから見れば、いかにも見甲斐があるなあ、と思わずにはいられない。

やがて舅《しゅうと》の左大臣もやってくる。源氏がうちくつろいでいるので、直接の対面は遠慮して几帳《きちょう》を隔てての対座となったが、左大臣があれこれ話しかけるのを、源氏は、

「この暑いのに……」

と、苦々しい表情を浮かべるので、女房たちは、みなくすくすと笑った。

「しっ」

源氏は、女たちを制して、脇息《きょうそく》にゆるりと倚《よ》りかかる。なんとも、鷹揚《おうよう》な貴人らしい振舞いである。

方違えで、紀伊の守邸へ

暗くなる時分……、

「今宵《こよい》は、中神《なかがみ》（陰陽道で吉凶を司《つかさど》る神）が、内裏方面から見ますと方角塞《ふさ》がりになっております」

と、そう言った女房がある。

「おお、そうそう、そうだった。普通だったら、こちらの方角は避けてしかるべきところだったね……、といって、二条の里の邸の方角も同じだから、どこへ方違《かたたが》えに行ったらよかろうか。なんだかあまり気分もよくないのに、面倒な……」

と言って、寝所に入ろうとする。

「いけませんよ、それは」

女房たちは、口を揃《そろ》えて源氏を諌《いさ》めた。

「されば、ひとつ良い考えがございます。紀伊《き》の守《かみ》にて、こちらのお邸にも親しくお仕えしております者が、中川のあたりに住んでおります。この家は、最近、水を庭に引き入れて遣水《やりみず》など設けたそうで、ずいぶん涼しい木陰に造営したということでございますよ。そちらにお渡りになってはいかがでございますか」

「おお、それは良いだろう。どうも体調がよくないので、牛車《ぎっしゃ》をそのまま邸内に乗り入れられるような、気安いところが良いな」

と源氏は言う。

なにもそんな紀伊の守の邸などに行かずとも、源氏には、お忍びで方違えに宿るような家はいくらもあったのだが、せっかくこうして、久しぶりに左大臣邸にやってきたのに、方角塞がりにかこつけて、どこぞ別の女の家へ行ったと邪推されてはまた葵上の手前、心外だったのであろうか、源氏は、その紀伊の守のところへ行くことにした。

さっそく紀伊の守に、その旨申し付けると、了承こそしたものの、退出してから、

「父の伊予《いよ》の介《すけ》の家に物忌《ものい》みの沙汰がございましてね、ただいまその女房どもが拙宅のほうへ参っております最中ですので、なにかと手狭でございます。そこへ源氏さまのお出ま

しでは、失礼なことでも出来《しゅったい》せぬかと、それが心配で……」

と、そんなふうに、ひそかに嘆いていたというのを、人づてに聞いて、源氏は、こんなことを言った。

「いや、その人気《ひとけ》の多いというところが、却《かえ》って嬉しいんです。とかく女っ気のない旅先の宿なんかは、なんだか心細くていけないし。なに、人が多くて手狭だというのだったら、私は、女たちの寝ている几帳のうしろあたりにゴロッと寝かせてもらいますから」

「まあまあ、却ってそれは良いお寝《やす》みどころじゃございませんかしらねえ」

と、女房たちは興じながら、すぐに紀伊の守かたへ人を走らせた。

今回は、まったくのお忍びということで、ことさらに大げさにならないようなところを選んだというわけで、急いで出て行くについて、左大臣にもこのことは知らせず、お供にも、ほんとうに親しく召し使う者だけを連れて行った。

「なにさま、急《きゅう》のお渡りでございまして……」

と紀伊の守はぼやいてみせたが、源氏かたの者どもは、まったく頓着しない。寝殿《しんでん》の東に面した部屋を片づけて、そこに仮のお寝《やす》みどころがしつらえられた。話に出ていた遣水の造りようなど、それなりに趣向を凝らしてある。庭には、田舎家めいた柴垣《しばがき》を巡らして、前の植え込みも、なかなか繊細に気配りして植え渡してある。水面を渡ってくる風は涼しくて、そこへ虫の声もかすかに聞こえ、また蛍《ほたる》が飛び交うなど、風情満点である。源氏の供人たちは、渡殿《わたどの》の下から湧《わ》き出た泉を見下すところに座って、酒を飲んでいる。

紀伊の守もまた、酒の肴《さかな》の支度にせかせかと動き回っていたが、いっぽうの源氏は、この庭上《ていしょう》の景色をのどかにながめながら、あの左馬頭が言っていた中級の受領の家というのは、たぶんこのあたりのことをさすのであろうと思い出していた。

さて、伊予の介の妻という人については、その出自《しゅつじ》からしてずいぶん気位の高い女だという噂があったから、源氏は、受領の家の気位の高い女、というだけで、もう十分興味をそそられている。注意深く聞き耳を立てていると、どうやら、この邸の西側の部屋あたりに人の気配がする。衣擦《きぬず》れの音がさらさらとして、若い女房たちらしい声がかわいらしげに聞こえてくる。それでも、源氏のご入来《じゅらい》を知って、多少は遠慮しながら忍び忍びに笑いなどする気配が、いかにもわざとらしい。

西の部屋の格子戸は上げてあったけれど、そういう不用心不見識なことではいけないと小言を言いながら、紀伊の守はばたばた下ろして回っている。

戸を下ろしても、室内に灯した火に映る影が、障子の上から漏れてくるので、源氏は、そおっと近寄っていった。〈もしかして見えるかな〉と期待したのだが、覗《のぞ》き見《み》をする隙《すき》間《ま》は見当たらない。やむを得ずそこで立ち聞きしてみると、たぶんこの女たちは、部屋の中央の母屋《もや》のあたりに集まっているようである。なにやらしきりとささやきあっているのを聞くと、……どうやら源氏のことを噂しているらしかった。

「ねえねえ、なんだかすごく真面目ぶってね、まだお若いのに、もう奥様がいらっしゃるんですってよ。つまんないわねえ」

「だけど、ほかにもあちこちに、隠れてお通いになってるって噂よ、ふふふ」

などと埒《らち》もないことを言い合っているのを聞くにも、源氏はドキッとする。もしや藤壺のことが噂になっているのではないかと気にかかるからである。万一、こんな調子で、自分と藤壺の隠し事の噂が、人の口から漏れるのを、こんな時に耳にするようなことがあったら……さあどうしよう、と源氏は恐る恐る聞いている。

しかし、ここの若い女たちがぺちゃくちゃやっているのは、どうということもないおしゃべりなので、源氏は立ち聞きをやめたが、その話題のなかには、源氏が式部卿《しきぶきょう》の宮の姫君に朝顔を贈ったときに詠んだ歌のことなども、ちょっと文句は間違っていたけれど、含まれていた。源氏は、〈やれやれ、なにを暇人《ひまじん》どもが、分かった風な口調で歌なんか誦《ずん》じたりして……、こんな程度の女房たちが仕えているのでは、その噂の女主人とやらも、逢ってみればがっかりという口であろうな〉などと思った。

やがて、紀伊の守がやってきて、軒の灯籠《とうろう》の数を増やし、灯明台《とうみようだい》の灯を明るく掻き上げなどして、果物ばかりを持ってきた。源氏は歌うように言った。

「『とばり帳もいかにぞは……』とな。私の寝間の支度は出来てるか。あのもう一つのもいてなしの心配りもないと、とかく接待はがっかりだが、ははは」

源氏は、催馬楽《さいばら》の『我家《わいへ》』に「我家《わいへ》は帷帳《とばりちやう》も垂れたるを、大君来ませ聟《むこ》にせむ、御肴《みさかな》に何よけむ、鮑栄螺《あはびさだを》か、石陰子《かせ》よけむ……（我が家にはちゃんとした垂れ絹もしつらえてあるから、どうか立派な君よ聟においでなさい。お肴には何がよろしいでしょうか。鮑がよいか、サザエがよいか、それとも貽貝《いがい》がよいかしら……）」と歌ってあるのを引き合いにして、「女の貝」のもてなしをせよと匂《にお》わしたのである。けれども、紀伊の守は、それに気付いたのかあらぬか、

「ははっ、何がお好みかも、お伺いいたしておりませなんだことゆえ……」

と、かしこまって平伏している。

源氏は、邸の端近いところにしつらえた仮の御寝所《ごしんじょ》に入って寝《やす》み、酒を飲んでいた供人どももだんだん静かになった。

空蟬の噂ばなし

紀伊の守の子どもらは、かわいい年ごろである。少年で、ちょうど殿上童《てんじょうわらわ》のお勤めに上がった折に、源氏としては見知っている少年もいた。また父伊予の介の子もいる。そのたくさんの子どものなかに、様子にたいそう気品があって、年は十二、三ほどの少年がいた。この子らは、だれがだれの子か、などと源氏は尋ねた。

「ははっ、あの子は、亡き衛門《えもん》の督《かみ》の末っ子で、督もたいそうかわいがっておりました者ですが、あいにくと幼いうちに父に先立たれまして、ほかにはかばかしい後見人もございませぬもので、姉の縁を頼ってこの邸に参っております。あれで学問などもできそうな子で、見込みがございますので、いずれ殿上童にもと思ってはおりますのですが、後見人の関係で、なかなかすっきりとは上がることができませんで……」

と紀伊の守は言う。

「なるほど、かわいそうなことだね。つまりこの子の姉君が、そなたの継母、ということになるね」

「さようでございます」

「なんと、まあずいぶん若い継母をもったものだね。そもそもその姉とやらは、宮中にも評判が聞こえていて、いつだったか帝もお聞きになり、『宮仕えに差し出したいと衛門《えもん》の督《かみ》かたから申し出ておったが、あれはその後、いかが相成ったか』とご下問あらせられたぞ。それが今では、伊予の介老人の後妻、とはなあ。うーむ、世の中は分からないものだね」

と、ひどく老成した口調で源氏は話した。

「なにさま、思いもかけずこういうことになりました次第でございまして。男女の仲というものは、こんなものでございましょう。今も昔もなかなか先の定まったものでもございますまいから。なかんずく、女の運命というものは、ほんとうに不確かなもので、気の毒なところもございますなあ」

紀伊の守はそう述懐する。

「されば、伊予の介は、その後妻を大切にしているのか。身分から言えば、きっと『我が君』くらいには思っているであろうな」

「なんとその通りで……。内々には、自分の主人がこの妻だと思って下へも置かぬようなもてなしでございますが、いかになんでも、あのような年で娘ほどの後妻にかしずくとあっては、正直なところ、わたくしはじめ先妻の子らはみなこの老父の年甲斐もない色好み沙汰には、不賛成なのでございます」

「そんなことを申しても、あの介は、ああ見えて、なかなか色好みの伊達《だて》者らしいから、そのほうたちのように似合いの若者に、下げ渡してよこす気遣いもなかろうね」

などと、かれこれ語り合った。

「女どもは、みなどこに行ったか」

「はい、みな召使い部屋のほうに下がらせましてございます。が、まだ二、三人はそこらにうろうろしておりましょうか……さて」

源氏の供人どもも、もうすっかり酒が回ったのであろうか、簀子《すのこ》のあたりに臥《ふ》せて寝静まった。

源氏、空蟬のもとへ忍ぶ

源氏はなかなか寝られずにいた。こんなに女がいながら、自分ひとりは空しい独り寝かと思うと、目が冴《さ》えざえとしてくる。

〈……ああ、この北側の障子の向こうには女の気配がするけれど、あれが、さっき紀伊の守の話していた若い継母の寝ているあたりだろうか。ああ、気になるな……〉

と、心惹かれて、そっと起き、その気配のするあたりを立ち聞きすると、さっきの少年が、

「ねえ、ねえ、おうかがいします。どこにいらっしゃいますか」

と掠《かす》れた愛らしい声で言うのが聞こえた。

「ここに寝ていますよ。お客さまはもうお寝みになられましたのか。どんなに近くにおいでかと思ったら、けっこう遠いところにいらっしゃるのね」

この寝ぼけたような声のしどけない調子が、さっきの少年の声に良く似ているので、

〈さては、この声の主が、噂の姉君だな〉と源氏は聞いた。

「源氏さまは、廂《ひさし》の間《ま》にお寝みになられています。あの音に聞く美しいお姿を拝見しましたが、ほんとにほんとに素晴らしいお美しさでしたよ」

と、ひそひそ声で姉に報告している。

「まあ、残念。これが昼間だったら、覗《のぞ》いて拝見するのにねえ」

と、いかにも眠たそうな声でいうと、やおら夜具に顔を引っ込める物音がした。

〈なんだ、こしゃくなことを。もっと心をしっかりと留めて弟の言うことを聞くべきだ〉

と、源氏は、この姉の反応に飽き足らないものを感じる。

「僕は、この端のところに寝ます。ああ、くたびれた」

と少年は言って、灯明台の灯を掻き上げる様子である。

ふーむ、……となると、どうやらこの姉君は、すぐ近くの障子口《そうじぐち》から斜めに行った辺りに寝ているらしい。

また姉君の声がする。

「ねえ、中将《ちゅうじょう》の君は、どこへいったの。なんだか人気《ひとけ》がない感じがして、怖いわね」

さては、姉君は真ん中の母屋《もや》に寝て、その外側の一段低くなった廂の間の下長押《しもなげし》（床の縁《ふち》）の下あたりに、中将の君やらなにやらの女房たちが寝ているらしい。

廂の間のほうから、答える女房の声がする。

「はい、中将の君は、ただいま、下屋《しもや》のほうに下がりまして、お風呂にまいっております が、すぐに戻ってくるとのことで……」

と答えている。

すっかり皆寝静まった気配がする。

源氏が、ためしに掛け金を引き上げてみると、ややや、内側から鉤《かぎ》は鎖《さ》してないらしい。

すっと戸が開いた。

几帳が障子口《そうじぐち》のところに立ててあり、ほの暗い灯火に透かして見ると、通路に唐櫃《からびつ》のようなものが置いてあって、ごたごたしている。そのなかをわけて、源氏は奥へ入っていった。

しめた、女はただ一人で、かわいらしく寝ている。

なんとなく気がとがめたが、源氏は女が被《かぶ》っている夜の衣《ころも》を押しやった。その瞬間まで、女は、戸を開けて入ってきたのはてっきり女房の中将の君だと思っていたのだったが……。

「中将をお召しになりましたゆえ、わたくし、近衛《このえ》の中将めが、参上いたしました。ええ、あなたを人知れずお慕い申しておりました、今その思いが叶った心地がいたします」

源氏は声を押し殺して囁《ささや》いた。女は、いったい何が起こったのか見当もつかない。なにやら、悪霊《あくりょう》にでも襲われたような心地がして、

「ああっ」

と怯《おび》えるけれど、顔に夜の衣がかぶさってしまって、声にならない。源氏は、囁き続けた。

「こんなことを致しますと、いいかげんな戯《たわむ》れごととご覧になるかもしれません。それは道理でございますが、でも、わたくしはあなたのことを、もう長いことずっとお慕い申しておりました。その気持ちをなんとかしてお伝えしようと、年来こんな機会の来るのを待ち焦がれておりましたが、やっとその時がまいりました。どうか、どうか、心浅い恋だとお思いくださいますな」

声はとても柔らかでよく通り、この声には、鬼神といえども荒ぶることはあるまいとまで思われた。女は、いきなり、「ここに変な人が……」などと叫ぶこともできない。その

心地はまた絶望的で、あってはならないことだと思うゆえ、ともかくびっくりして、

「お、お人違いでございます」

と、かすかに囁くのが関の山であった。その消え入りそうに惑乱する様子が、とてもとても辛そうで、またなんだか、どうしてもかわいがってやりたいような感じがする。源氏は、なんとすてきな女だろうと見て、なおも口説き続けた。

「人違いだなどと、どうしてお間違いなど申しましょう。わたくしのこれほどたしかな心の真実をば、お分かりくださらずに、おとぼけになるとは残念でございます。決して決して怪しい振舞いはいたしませぬ。ただ、わたくしの思いの丈《たけ》を、すこしだけでも知っていただきたいのでございます」

と囁きながら、女はたいそう小柄な体なので、さっと抱き上げると、障子のところから外に出て行く。ちょうどそこに、女が呼んだ女房のほうの中将の君が風呂から戻ってきたのに鉢合わせした。

「あっ」

源氏は驚いて思わず叫んだ。辺りは暗い。誰の声だろうと思って中将の君が手探りで近づいてみると、あたりに充ち満ちて顔にもくゆりかかるかと思うほど、素晴らしい香りが

する。源氏だ、と中将の君は思い当たる。

どうしたらいいのであろう。おどろき呆《あき》れながら、中将は、ただただおろおろとするけれど、なんと言ったらいいかわからない。これがもしそこらの男であれば、無理にも力ずくで引き離したかもしれない。いや、それだってうっかり声をたてて大げさにすれば、大勢の人に知られてしまう。どうしたものであろう、どうしたものであろうと、惑いながら、中将は女君を抱いた源氏の後を追っていった。

源氏は少しも動ずる気配なく、しずかに、奥の寝所《しんじょ》に入っていった。

障子をピシャリと閉めるに際して、

「よいか、暁《あかつき》になったら、女君を迎えに参れよ」

と中将に命じて、源氏はそのまま戸を閉めた。

女は、今、戸の外までついてきた中将の君が、どう思うかということを想像するだけでも、堪え難い思いがして、びっしょりと汗をかいている。気分もひどく悪そうに見える。源氏は、気の毒にも思うのだが、またいつものことながら、どこからとり出すのだか、口達者に、そして、女心にもしみじみとした気持ちになるように、いかにも情《なさけ》深い調子で語り続けるようであった。しかし、女はそれでも、あんまりだと思って、

「とても現実とは思えません。こんな物の数でもないような賤しい身の上ながら、それでも、わたくしをこんなにも侮《あなど》られるお心のほどを思いますと、ずいぶん浅いお情のかけようだと思わずにはいられません。どうぞもうお揶揄《からか》いにならないで、賤しい身分の者には、それなりの仕方《しかた》というものがございます」

と言葉を尽くして押し返しながら、源氏のこんな無法なやりかたを、思いやりのないひどいことだと、深く悲しく思い込んでいるらしく見える。さすがにその様子は、いかにもかわいそうで、さしもの源氏も気持ちの上で怯《ひる》まざるを得ない雰囲気であった。

「どんな身分がどうであるのかなんて、初心《しょしん》なわたくしには、まだよく分かりません。それなのに、いいかげんにそこらの色好み男たちと十把《じっぱ》一《ひと》からげにされるなんて、あまりにも辛い。もしやお耳に入っているかもしれませんが、わたくしは、無理やりに何かをしようなんて気持ちは持たぬ人間でございますのに、前世からの因縁でもございましょうか、こんなふうに蔑《さげす》まれてもしかたのないこの心乱れを、自分でも納得できないのでございます」

などと、源氏はいかにも真面目らしく、言葉を尽くしてかきくどいたが、女のほうからすれば、この君の世にたぐいなき美しさからして、もしこのまま肌を許すようなことがあれば、却ってあとが絶望的に辛くなるに決まっていると、そう思って拒んでいるのであった。ままよ、かくなるうえは、なんという素っ気ないつまらぬ女だと思われようとも、いっそそのような朴念仁《ぼくねんじん》の情知《なさけ》らずなのだということで押し通してしまおうと思って、わざと冷淡に扱ったというわけであった。

もともと、この姉君という人は、人柄がやさしくて、そこに強い心を無理やりに加えたので、あたかもなよ竹がなかなか折れないように、どうやっても手折《たお》ることは難しそうにみえた。女は、ほんとうに不快に思って、また源氏の無法無体《むほうむたい》なやりかたを、まったく筆舌に尽くしがたく嫌だと思って泣く様子など、いかにも気の毒であった。

さて、なるようになってしまうと源氏は、〈自分としてはたしかに心苦しいことだけれど、でもここで遠慮してなにもしないで帰ったら、それはそれで、後で大きな後悔をしただろう〉と思う。そして、こんな結果になったということを、女は慰しがたく辛いことと思っているようであったので、

「どうして、あなたはわたくしのことをそんなにも疎ましい男だとお思いになるのです。いかに思い掛けないことだったとしても、その成り行きを、前世からの約束があったのだ

と、そんなふうにお思いくださるわけにはまいりませんか。世間知らずの娘のように、悲しみに沈みきっておられますのは、わたくしとしてなんとしても辛いことでございます」

としみじみ、恨みごとを言う。

「いえ、もしも、わたくしがまだこんなつまらぬ身の上に沈む前の、衛門の督の娘でございました時分に、お情を頂戴《ちようだい》いたしましたら、とんでもないうぬぼれかもしれませんが、幾度かお目にかかるうちには、やがて見直していただける時もあったかもしれない……と自らを慰めもいたしますが、現実には、こんな身になってからの、ほんのかりそめの逢瀬だと思いますと、ただただもう心惑いするばかりでございます。ええ、もう結構でございます。どうかこうしてわたくしを見たとさえ口にしてくださいますな」

と、ひたすらに悲しんでいる様子だったが、それも思えば道理であった。それでも源氏は、懇篤《こんとく》に将来を約束したりして女を慰めようとさまざまかきくどいた。

鶏《とり》が鳴いた。

源氏の供人どもが起きてきて、

「やや、まったくひどい寝坊をしてしまった。急いで車を引き出せ」

などと大慌てである。

紀伊の守も起きてきて、

「女房衆のお方違《かたたが》えならともかく、男君でございますれば、なにも真っ暗な内にお帰りになるにもおよびますまい」

など言う。源氏は、そうそうこんな機会があるとも思えず、用もないのにわざわざこんなところへ来るのも難しいし、相手が人妻であってみれば、手紙などもそう気安く往来させ難いのも道理だと思うと、ぐっと胸が痛んだ。

そのころには、近侍の女房中将の君も言いつけ通り迎えに来て、ひどく辛い様子なので、女をいったんは放してやろうとして、また引きとどめる。

「これから先、どのように文を差し上げたらよろしいのでしょうか。世にもまれなあなたの冷淡さも、でもどうしても心惹かれる魅力も、みなわたくしの心に深く刻んだ思い出、あれもこれもみな珍しい経験でございます」

といいながら、源氏はさめざめと泣く。その姿もまた、たいそう美しいのであった。

鶏《とり》は何度も鳴いた。もう帰らなくてはならぬと、心が急《せ》かれて、源氏は別れの歌を詠じた。

つれなきを恨みも果てぬしののめに
とりあへぬまでおどろかすらむ
あなたの仕打ちがあまりにも無情なのに、まだ十分恨みを申し上げないうちに、
はや、夜が明けてしまいました。このしらじら明けに、鶏までが、
とるものもとりあえず帰れというように、目を覚まさせることでございます

女も、年長で人妻のうえに低い階級、という我が身の拙《つたな》さを思うと、源氏などにはとても不似合いで恥ずかしいばかり、どんなに素晴らしく扱ってくれたとしても、何もうれしくはない。それどころか、いつもはまるっきり素っ気ないつまらぬ男だと思ってバカにしていた夫のいる伊予の国のほうが思いやられて、もしや、昨夜のことが夫の夢に見えてしまったのではあるまいかと、そら恐ろしく気の引ける思いさえするのであった。

身の憂さをなげくにあかであくる夜は
とり重ねてぞ音もなかれける
我が身の辛さを嘆いても嘆いても嘆ききれないうちに明けてしまった夜は、
鶏が何度もとり重ねて鳴くのに重ねて、わたくしもいっしょについつい泣けてしまいます

女はそんな歌を返した。

ますます明るくなってきたので、源氏は、女を障子口《そうじぐち》のところまで送っていった。邸の内も外も、もう人の気配で騒がしくなってきている。障子口のところで、戸を閉めて別れるとき、源氏には心細い思いが迫り、その閉まっていく戸が二人を隔てる関所のように見えた。

それから源氏は、直衣《のうし》などを着て、南の勾欄《こうらん》にしばし倚りかかって物思いに耽《ふけ》っている。その様子を、西面《にしおもて》の格子を引き上げて、例の女房たちが覗《のぞ》き見《み》しているようだ。簀子の中ほどに立てた小さな障子の上に、ちらりと見えている源氏の風姿を、ああ素敵ねえ、と身にしみる思いで眺めている色好みの女たちがいるらしい。

空には有明《ありあけ》の月がかかっている。明るい空にはもう月の輝きなどは失せているものの、その輪郭だけはくっきりとして、真夜中よりはかえって趣のある曙《あけぼの》の空であった。この空の景色にはこれといって心などないのであろうけれど、ただ見る人の心次第で、色めいて見えたり、あるいはぞっとするように見えたりするのであったろう。

うちうちの源氏の心には、ともかく胸が痛んで、なんとかしてあの人に文でも伝え遣《や》る方便はないものかと、帰る道々、後ろ髪を引かれる思いで、紀伊の守の邸をあとにしたのだった。

左大臣の邸に戻ってからも、源氏はすぐにはまどろむこともできない。またあの人との逢瀬を遂げる手だてとてもないけれど、自分がこんなに苦しいものを、ましてあの人の思う心のうちは、いったいどんな按配であろうかと、昨夜のことなどを思い出しつつ、胸痛ましく思いやる源氏であった。

なるほど、とくに優れた女というのでもないかもしれないが、嗜《たしな》みのほどは見苦しからず身に付けている、あれこそは例の左馬頭の言っていた、見るべき中流の女というものだな、さすがに隅々まで女を見てきた人の言うことは、なるほどその通りだ、と思い当たるのであった。

源氏、小君を手もとに召す

源氏は、このところずっと、左大臣の邸にのみ滞在している。紀伊の守の家の女のことは、まったくあれで切れてしまって、それきりになっている。けれども、女がどんなに思い悩んでいるだろうと気の毒に思うと、それが心にかかって、源氏もひたすら苦しんで思い悩んで、ついに紀伊の守を呼びつけた。

「紀伊の守、すまないが、あの先日そなたの邸でみた衛門の督の息子をね、私に預けてくれないか。いかにもかわいい少年だったので、私の側近くに召使いたいと思うのだ。で、時を得て、殿上《てんじょう》の間にも伺候《しこう》させるように私から手配しようほどにな」

と言ってみる。

「まことに恐れ入りましてございます。さっそくあの姉なる者に仰せのほど申し伝えましょう」

と何心もなく受け答える紀伊の守の言葉のなかにも、あの姉のことがでてきて、源氏は思わずどきりとした。

「その姉君だが、あの人には、そなたの腹違いの弟はあるのかな」

「ございません。この二年ばかり、ああいうことになっておりますが、もともとあの姉と申すものは、親は入内《じゅだい》させようと思っていたことゆえ、その親の希望とは大違いだというので、嘆かわしく、またなにかと満たされぬ思いで暮らしているらしゅうございます」

「なんと、気の毒なことだね。美人としての評判の聞こえた人だったというが、まことにさようか」

源氏はさりげなく探りを入れてみる。

「さよう、器量は、悪いということもございますまい。もとよりわたくしには継母にありますゆえ、世間の常識として、あまり馴《な》れ馴れしくはしないようにいたしておりますので、よくも存じませんが……」

と、そう返答した。

それから五日六日たって、紀伊の守が、例の少年、小君《こぎみ》を連れてやってきた。すべてに行き届いて美しいというほどでもないものの、飾り気はないが美しい子で、さすがに貴人の血を引くだけのことはある。源氏は、すぐに側に呼んで、優しい口調で、いろいろと語りかける。子ども心にも、源氏のありさまを、すごいなあ、すばらしいなあと思う。

源氏は、さっそく姉君のことをくわしく聞いてみた。小君は知る限りのことは答えながら、こちらがはずかしくなるほど、平静な様子なので、なんとなくほんとうの話は切り出しにくい。それでも、噛んで含めるように、姉君と自分の間柄のことなど、よく話をして聞かせた。

小君、文の使いに立つ

こうして小君という手紙の伝手《つて》ができた。姉と源氏が恋仲にあるなどとは、意外なことではあったが、子ども心に、それ以上深くは考えなかったので、さっそく源氏からの手紙をもって姉のところへやってきた。

姉はあまりのことに涙をこぼした。そうして、こんなことをさせるについては、子どもながらにどう思うだろうかと、そのことも気恥ずかしい思いがして、〈手紙を下さったりしては困るわ〉とは思ったが、それでも、巻紙に顔を隠すようにして、こっそりと源氏の文をくつろげて読んだ。

こまごまと源氏の心が書き連ねてある。その奥に、

「見し夢をあふ夜ありやと嘆くまに
目さへあはでぞころも経《へ》にける

先夜見た夢を、また現実として再び逢う夜があるだろうかと嘆いている間に、夢見るどころか、

あなたを思って眠ることもできぬまま、もう何日も経ってしまいました
あれからずっと、あなたを思うあまり、眠れる夜とてありませんので」

などと、それも見たこともないような素晴らしい筆跡で書かれているのも、読むにつけて涙がこぼれ、すっかりかすんで見えなくなってしまう。そうして、不本意な運命がうち重なってしまった我が身を思い続けて姉君は泣き伏すのだった。

次の日、ふたたび小君を源氏が呼び立てたので、参上しなくてはならないから、返事を書いてください、と小君は姉に頼んだ。

「こんなお手紙は、うちには拝見するべき人はいません、とそうお答えなさい」

とにべもないので、小君はにっこりと笑って、

「間違いなく姉上にと仰《おつしや》ったものを、そんなこと、僕はとてもお返事できません」

と言う。姉君は心中《しんちゆう》面白からず、さては、源氏の君は、なにもかもこの子どもに話して聞かせておしまいになったのか、と思うと、辛い思いがすることは限りがなかった。

「いいえ、そんな大人ぶったようなことを言わぬものですよ。そんなこと言うなら、もう源氏さまのところには行かなくてよろしい」

と叱《しか》りつける。

「ええっ、そんなぁ。お召しがあったんだもの、参らないわけにはいかないよ」

と言って、小君は源氏のもとへ帰っていった。

紀伊の守は、じつはそうとうな好色漢で、この若き継母のありさまに、あんな老父の妻としておくのはなんとしてももったいないと思うゆえ、なにかとお追従《ついしょう》などするつもりで、弟の小君を日頃からあちこち連れ歩いている。その日も、紀伊の守は、小君を左大臣の邸まで送っていった。

源氏は帰ってきた小君を近くに呼び、

「なんだ、昨日一日おまえを待ち暮らしていたのに、やっぱり私《わたし》のことはそれほどには思ってもくれていないようだね」

と、あたかも恋人に対するがごとくに、恨みがましく言うので、小君は赤面して黙ってしまった。

「で、姉君のお返事はどこかね」

そう聞かれて小君が姉とのやりとりを一部始終報告すると、

「なんだ、頼みがいのないことだな。がっかりしたぞ」

そう言いながら、源氏は再びまた恋文を書いて小君に託した。

「おまえはきっと知らないんだろうな。実は、姉君とは、伊予の老人よりは先に恋仲であった、そういう関係なんだよ。だけれど、私がこのようにまだ若造で頼りにならないというので、あんな格好悪い夫をもうけて、それで私を侮っておいでなのだろう。でもな、おまえだけは私の子どものつもりでいておくれ。どうせ、姉君が頼りにしている人は、老人でもう老い先は長くないことだろうからね」

と、出任せを言うと、小君は〈そんなこともあったのかぁ。たいへんなことなんだな〉と思っているらしい。その様子を見て、源氏は、心のうちに微笑んだ。

源氏は、この小君をいつも側に置いて、内裏までも連れて歩く。また、邸内の衣服調製所に命じて、この子の装束《しようぞく》なども作らせたりして、ほんとうの親のように世話をしてやるのであった。

源氏からの手紙は小君が運び手となって、常に到来する。けれども、姉は〈この子はまだ幼い。もしかしてうっかりどこかに落としでもすれば、浮《うわ》ついた評判が立ちもするだろうから、ほんとに困ったもの。……どうせ、自分はこんなしがない受領《ずりよう》老人の後妻で、源氏さまとはまったくつり合わない、どんなに素晴らしい貴公子からの求愛があろうとも結局自分の身の上次第なんだわ〉などと思って、思わしい返事も書かずにいた。〈……それにつけても、いつかの夜、暗い灯《ともしび》のなかでほんのりと見えた源氏さまのご容姿やご様子は、ハァッ、ほんとになんともいえないくらい素晴らしかった……〉と、そんなふうに思い出さぬわけでもなかったけれど、〈……といって、自分のほうから色好みのありさまをお見せしたって、どうにもなるものじゃなしね……〉などと考え直したりするのである。

しかしながら源氏は、一時《いっとき》としてこの姉君のことを忘れる暇もなく、ただ、思いが通じないことを辛いとばかり思い出している。そうして、あの夜、彼女が汗みずくになって懊《おう》悩《のう》していた様子などの愛《いと》しさを、どうにも心から払いのけがたく思い続けるのであった。

だからといって、あの紀伊の守かたに出入りする人たちに紛れて、軽々《けいけい》に立ち寄ったりするというのもまた、あの人目の多い場所柄からして、良からぬ振舞いが露見するもとだ、そうなれば、あの女のためにも気の毒なことになるし、とあれこれ思い煩っている。

源氏、突然に紀伊の守の邸を再訪

それから、例によって、内裏に何日も長逗留《ながとうりゅう》していた頃、こないだと同じように紀伊の守の邸の方角へ方違えに行けるような方角塞がりの日を数えて心待ちにしていた。そしてまた、急ぎ左大臣邸へ退出すると触れて宮中から下がると、道中にわかに道筋を変えて紀伊の守の邸にやってきた。

紀伊の守は、驚きながらも、自分の邸の遣水《やりみず》がお気に召したのであろうと、恐縮しつつ喜んでいる。

じつは、表向き左大臣邸へと触れながら、小君にだけは、昼のうちから、今宵は紀伊の守の邸にいくぞと、教えておいたのである。明けても暮れてもお側仕《そばづか》えに召し使っているのだから、今宵もまずは小君を呼び出した。

女のほうにも、源氏からは前もってかくかくしかじかと前じらせの手紙が届いていた。

〈まあその人目をかい潜ってまで通ってこようという周到な用意のほどは、たしかに心浅いものとも思わないけれど、さりとて、また直接に逢うて、このみっともない姿を源氏さまのお目にかけたところで、そんなのは無意味だし、先夜、夢のように打ち過ぎた折の、悪夢のような嘆かわしいことを、また繰り返すのではあるまいか〉と心は乱れる。そう思いながら、しかし源氏の手紙を得て待ち受けているというのも、なにやらまた気恥ずかしくもある。

そこで女は、小君が部屋を出ていくと同時に、

「あまりに源氏さまのご寝所に近いので、ここにいては恐れ多い。いずれ気分もよろしくないので、これからこっそりと肩などたたかせようと思います。ちょっと離れた局《つぼね》でね」

と言い置いて、渡殿《わたどの》の、中将の君という例の女房の局に身を隠してしまった。

源氏は下心満々だから、供人どもはさっさと寝かせて、また手紙を書いて小君に託すけれど、さて姉君はどこへ行ってしまったのか、行方を尋ね当たらない。あちこちと探しあるいた揚げ句に、渡殿に入り込んで、辛うじて探し当てて来た。姉が自分をのけ者にして隠れてしまっていることを小君は、〈情けないよ、ひどいや〉と思って、

「こんなことでは、源氏さまは、僕のことを、とんだ役立たずだとお思いになるよ」

と、姉に泣きながら訴える。

「何を言ってるの。こんなとんでもない了見《りょうけん》は、もってのほかですよ。だいたいね、おま

えのような子どもに、こんな文を取り次がせるなんて、とんでもないことだわ」

とピシャリ、叱りつけた。そうして、

「ですからね、きょうは姉は具合が悪いので、側仕えの女房たちに、肩やら腰やら揉《も》み療治をさせておりますから、お目にかかりません、とそう申し上げなさい。おまえがこんなところにうろついているだけだって、皆さん変だと怪しまれますよ。まったく……」

と突っぱねる。そう言っておいて、しかし、心のなかでは、〈ああ、こんなろくでもない身分に落ちぶれた身の上でなくて、亡き父上の面影が生きていたあの実家での娘時代に、たまさかにでもこうやって源氏さまのお出でをお待ちしているのだったら、どんなに愉快なことであったろう。でも、今はこんな情ない身の上、なのに源氏さまのお気持ちを重々承知しながら、ただただ自分の思い一つで知らん顔をして過ごすというのも、源氏さまからすれば、なんという分《ぶん》を知らぬ女だろうとお思いになるかもしれないし……〉と、自らの心に従ってのことながら、やっぱり胸が痛み、思いは千々《ちぢ》に乱れるのである。そして女は、〈どんなに思い乱れたとて、現実はこんな取るに足りない運命なのだから、いっそ情知らずの嫌な女だと思われていることにしよう〉と、きっぱり心を決めたのであった。

いっぽう源氏は、〈小君はどんなふうに段取りを付けて戻るかな……まだなにしろ子どもだから危なっかしいところもあるな〉と思って待ちながら、臥《ふ》している。すると小君が、「結局だめでした」と、ことを報告したので、あきれるほど強情で珍しい心がけの女だと思って、

「我が身も、ひどく恥ずかしくなったよ」

と、まったく気の毒なくらい萎《しお》れかえっている。

しばらくの間、源氏は、口も利かない。ただ、ため息をついて、辛い辛いとばかり思っているのであった。

そして源氏は、こんな歌を書いて女に贈った。

「帚木《ははきぎ》の心を知らでそのはらの
道にあやなくまどひぬるかな

遠くから見れば見えるのに、近づけば消えてしまうというあの魔法のような帚木。その帚木のようなあなたのつれない心を知らずに、帚木の生えていると伝える園原の道に、私はあえなく迷ってしまいました

もはや申し上げる言葉も失いまして」

女も、さすがにまどろむことができずにいたので、すぐに歌を返した。

数ならぬふせ屋におふる名の憂さに
あるにもあらず消ゆる帚木

取るに足りないあばら屋に生えるという帚木、その名の情けなさに、
そこにいることもできずに姿を消してしまう帚木なのでございます

小君は、姉の源氏に対する仕打ちがあまりにもお気の毒なので、眠いのも忘れて、これらの文や歌を取り次ぐためにそこらをうろうろ歩き回っている。その度に、いくらなんでもこんな夜中に、子どもの小君がうろつき回るのは変ねぇ、と侍女たちも思うに決まっているだろうと、姉君は悲観してやまない。

いつもの源氏付きの供人たちは、みな寝穢《いぎたな》く眠りこけている。なのに、源氏一人だけは、気もそぞろで、興ざめな思いに耽っている。ただ、この女の、人には似ぬ強情な心が、なおも消えることなく目の当《ま》たりに見えるのが、なんとしても癪《しゃく》に障《さわ》り、しかし、こういう言うことを聞かぬ女だからこそまた、どこか惹かれるのだな、といっぽうでは思い

ながら、他方また、驚き呆れるほど情ない思いもする。えいままよ、もうどうともなれ、と捨て鉢な思いも萌《きざ》すけれど、といって、すっぱりと諦め切ることもできず、また小君を召して、

「ではその、もみ療治をしている隠れ所に、私を連れていけ」

と、無茶なことまで言い募る。しかし、さすがに、小君はこれを拒絶する。

「それはいくらなんでも、ご無理でございます。そこは、ほんとにむさくるしい小部屋で、しかもそこに女房どもがぎっしりと詰めておりますから」

小君は、そんなことまで言い出す源氏を、内心に、〈お気の毒だな〉と思う。

「ああ、よしよし、おまえだけは、俺を見捨てないでくれよな」

とそんなことを言い言い、源氏は小君をすぐ横に寝させた。源氏の若々しい、そして心優しいご様子を、小君はうれしく、すばらしいと思っているらしいのであってみれば、強情なあの姉君よりは、よほどかわいいやつだと、源氏は思っていた。

空蟬
　うつせみ

源氏十七歳の夏

源氏と空蟬の葛藤

源氏は、眠ることもできぬまま、つぶやいた。

「私はね、こんなに人に憎まれたということは、いまだかつて覚えがない。が、今宵《こよい》は、つくづく恋の辛《つら》さということを思い知ってね、男としての面目も丸つぶれになり、この先、到底生きていけそうもないと思うようになった……」

小君《こぎみ》は、それを耳にして、涙をこぼしながら添い寝をしている。その姿を源氏は、かわいい奴だ、と思った。手探りをして小君の体に触れてみると、細くて小さくて、また髪もそんなに長くない気配が、思いなしか姉君に似ているようで、はっと胸打たれた。

もうこのうえ、無理押しをしてあの女の居所《いどころ》を探して近づくというのも、いかになんでも格好がつかぬ。〈ほんとうに癪《しゃく》に障《さわ》るやつだ〉と何度も心のうちに罵《ののし》りながら、源氏はまんじりともせずに一夜を明かした。そうして、いつもとはことかわり、小君に対してもむっつりと押し黙ったまま、まだ暗いうちに紀伊《き》の守《かみ》の邸《やしき》を後にした。小君は、そんな源氏をお気の毒だとも思い、また心に穴のあいたような寂しさも感じた。

女のほうでも、ひどくいたたまれぬ思いがしていたが、しきりと到来していた源氏からの文《ふみ》も、ついにぱったりと絶えた。

〈きっともう懲《こ》り懲《ご》りとなさってしまわれたにちがいない〉と思うにつけても、〈この音《おと》沙汰《さた》なしのままご縁が切れてしまったら、それは嫌《いや》だなあ、……といって、ああいう煩《わずら》わしいお振舞いがしょっちゅうあるとしたら、それもますます嫌だし……もう、このくらいで沙汰止《さたや》みにしておいたほうがいいのかもしれない〉などと思うものの、でもやっぱり源氏を思って、女は、悶々《もんもん》と考え込んでしまうのであった。

源氏、紀伊の守邸に忍んで垣間見をする

源氏は、〈あいつは気に入らぬ女だ〉とは思うのだが、〈しかし、この中途半端のままでは止《や》めにすることもできぬ〉と、いつも心にひっかかっていて、なんとしてもこれでは自分の面目がたたないという思いから、小君に、

「とても辛いし、情けない思いもするから、もう強《し》いて諦《あきら》めようと思うのだが、そうそう思い通りにはいかず苦しくてならないよ。だからね、適当な折を見計らって、もう一度対

面できるように、おまえなんとか取り計らっておくれ」

と、しきりに言い続ける。小君は、閉口しながら、それでもこんな秘密のことを自分に打ち明けてくれるのを、やはり嬉《うれ》しくも思うのだった。そこで子ども心にも、〈さてどんな折に源氏さまの仰《おつしや》る段取りをしたらいいだろう〉と機会を待っていると、紀伊の守が、任国に下ってしまって、邸うちは女衆ばかりでのんびりしているという日がやってきた。

その夕方、はや暗くなった道の、さだかにも見え分かぬ薄闇《うすやみ》に紛れて、小君は自分自身の牛車《ぎつしや》に源氏を乗せてお連れする。〈この子もまだ幼いから、ほんとにうまく行くだろうか〉と源氏は心配しながら、しかしこんな好機がそうそうあるでなし、そんなにのんびりと構えてもいられないから、とにもかくにも源氏は、さりげない服装で、まだ紀伊の守の邸が門を閉ざさぬ時分に、急いでやってきた。

人目のない門からひそかに車を引き入れ、小君は源氏を降ろした。子どものことで、宿直《とのい》の番人なども、別段気にもかけないし、あれこれ追従《ついしよう》を言いにも出ないので、そこは好都合であった。

源氏を、東の開き戸の口のところに下り立たせて、そのまま待ってもらっている間《あいだ》に、小君自身は、一計を案じて、わざと南側にまわり、源氏の姿の見えないところの戸口を大

きな音を立てて叩《たた》き、格子戸《こうしど》を上げさせて入っていった。部屋のなかでは、女房たちが、

「戸をお閉めなさい、外から丸見えですよ」

と小言を言っているようだ。すると、

「この暑いのに、どうして格子戸なんか閉め切ってるの」

と聞く小君の声がする。

「昼から、西の対《たい》の姫様がいらっしして、碁を打っておられますからね」

女房のそう言うのを聞くと、源氏は、これはどうしてもその向かい合って碁を打っている、かの人を覗《のぞ》き見《み》たいと思い、そろそろと抜き足をして、小君が入っていった簾《すだれ》のはざまに身を忍ばせた。

すると、内側の格子戸はまだ閉めていないので、隙間《すきま》から内部が見える。そっと近寄って、西のほうを見通すと、間《あいだ》に立ててある目隠しの屏風《びょうぶ》も端のあたりを畳んであって、邪魔な几帳《きちょう》なども、暑いせいだろうか、垂れ絹が風通しのために横木にうち掛けてある。

源氏の目には、室内の様子が丸見えであった。

二人の女が対座して碁を打っているすぐそばには、お誂《あつら》えに灯火が灯《とも》っている。母屋《もや》の真ん中の柱に寄り添ってむこう向きに座している人が、あの我が思いをかけている人だろ

うか、と源氏は、じっと目を凝らして見た。すると、濃い紫の綾衣《あやぎぬ》の単襲《ひとえがさね》らしいものを着て、もう一枚何か羽織っている。頭の様子はほっそりして、小柄で、あまりぱっとしない姿に見える。肝心の面差しは、差し向かいになっている人にさえ、よくは見えないように袖《そで》で隠しているように見える。その手の様子は痩《や》せに痩せて、袖口からあまりあらわにならぬように注意深く引き隠している。

もう一人は、こちらの東のほうを向いているので、なにからなにまですっかり丸見えであった。白い薄物の単襲に紅《くれない》と藍《あい》とで二度染《にどぞめ》にした上着めいたものを、しどけなく着崩《くず》している。素肌に着《つ》けた紅の袴《はかま》の紐が腰のあたりで結んであるのまですっかり見えてしまうほど、上着の前をはだけているので、胸もあらわに、自堕落《じだらく》な着こなしをしている。しかし、肌の色は抜けるように白く、全体かわいらしい感じで、むくむくと肉付きもよく、また背も高いらしい。頭から額にかけての髪の様などもくっきりとしていて、目もと口もとは愛嬌《あいきよう》たっぷり、まことに華やかな容貌《ようぼう》である。髪はふさふさと豊かで、そう長いというのでもないけれど、肩に垂れたところもさらりとして、すべてについてねじけた様子もない、美しい人と見えた。

〈ふふ、あれが伊予《いよ》の介《すけ》自慢の娘だな。なるほど、父親が世にまたとない美人だと自慢するのも道理かもしれないな〉と興味津々で、源氏はその娘を眺めている。

さらに観察していると、いかにも現代娘で、なんとなく落ち着きがなく、もう少し気立てに静かなところを加えて見たいものだ、と源氏には見えた。といって、それなりに才覚はあるようだし、碁を打ち終わってどちらの地《じ》にもならぬ目をつめていくところなど、いかにも頭の回転が良さそうで、またキャアキャアと騒々しいのだが、差し向かいの人はおっとりと静かに、落ち着いた態度で声をかける。

「お待ちくださいませ、そこは『持《じ》』じゃございませんかしら。こちらの『劫《こう》』のところから片づけましょうか」

など言うのだが、

「ええっ、今度は負けちゃった。隅のことことことで、ええと、どれどれ……」

と娘のほうは、指を折りながら数え始めた。

「十《とう》、二十《はた》、三十《みそ》、四十《よそ》……」

その目数を数えるさまは、父親の任地なる伊予の道後《どうご》の夥《おびただ》しい湯槽《ゆぶね》の桁《けた》の数だってさっさと数えられそうなほど賢いようだが、しかし、いささか品格に欠けるところがある。

いっぽうの、あの人は、袖ですっかり口元を引き隠して、はっきりとは見せないけれど、それでもジッと目を凝らして見てみると、自然と横顔が見えた。なるほど、まぶたはすこし腫《は》れぼったく、鼻などもくっきりと通っていないところはちょっとおばさんくさいし、とくに色っぽいという感じではない。酷評すれば、不器量《ぶきりょう》というに近いのだが、そこをたいそう注意深く取り繕《つくろ》って、この器量良しの娘よりはたしかに嗜《たしな》み深いところがあろうと、誰もが目を留めるかもしれない様子をしている。

娘のほうは、明朗で愛嬌もたっぷり、しかも屈託なく陽気にうちとけて、平気で笑い声を立てて戯《たわむ》れたりもするので、いかにも華やかに見え、これはこれで源氏の目から見ても魅力的な女であった。

源氏は、〈あの子はちょっと薄っぺらだな〉とは思うけれど、もともと堅からぬ心がけゆえ、これもまた、放念してしまうということもできないのであった。なにしろ、源氏が逢うほどの女たちはみな、こんなふうにうちとけた態度は決して見せず、ただ取り繕い、顔を背《そむ》けて見せないようにしているような人ばかりだったから、この娘のように奔放自在なありさまを垣間見《かいまみ》たというのは、初めての経験なのであった。

こんなになにからなにまで、源氏に覗き見されているというのも、女たちにとっては気の毒ではあるが、しかし、源氏はもっともっと見ていたいと思った。

ところへ、あいにくと小君が出て来る気配があったので、源氏は慌ててまた元の戸口のところへ滑り出《い》で、素知らぬ顔で渡殿《わたどの》の戸口に倚《よ》りかかっていた。何もしらぬ小君は、源氏をそんな戸口などに長々待たせてしまったことを申し訳ないと思って、

「すみません、思い掛けない人が来ていまして、なかなか姉のところに近寄ることもできません」

「それじゃ、今宵もまた、私をこのまま追い返そうというのか。……それはあんまりではないか。ひどい話だとは思わないかね」

源氏が言うと、小君はちょっと慌てた。

「めっそうもございません。その客人がむこうに引き取ったら、すぐになんとかいたしますから」

〈さては、なんとかなりそうな感じがあるのだな。この子は、子どもながら、物事の内実や人の顔色などを読み取って判断するような落ち着いたところがあるからな〉と、源氏はもう期待を膨らましている。

やがて、碁を打ち終わったとみえる。サラサラと衣擦《きぬず》れの音がして、二人の女とそれぞれのお付きの女房たちなどが立ち別れる気配がした。

「小君はどこにおられますか。さっき開けておいた格子戸をしっかり戸締まりいたしましょう」

という女房衆の声がして、がたがたと戸を閉《た》てる音がしてきた。

しばしあって、源氏は小君に命じる。

「みな、寝静まったようだね。じゃ、さっそく入ってうまくことを運ぶようにな」

小君は、姉の真面目な性格は知悉《ちしつ》しているから、どう掛け合ってもどうにもなるものではない、ということは百も承知だ。だから、〈皆寝静まって、辺りに人気《ひとけ》がなくなったころを見計らって、とにもかくにも源氏さまを姉のところにお入れしてしまえば、あとはなんとかなるだろう〉と思っているのであった。

源氏はまた思いついて言った。

「そういえば、この邸に、紀伊の守の妹御もおいでであろう。私にちょっと垣間見させてはくれぬか」

しかし、さすがに小君もこれは肯《うけが》わない。

「ええーっ、それは、いくらなんでもできません。だいいち、格子戸の内側には几帳も立ててありますし、とてもとても」

源氏はもとよりそんなことは分かっている。分かっているけれども見たいものを、と小君をこちらの色事にも役立てようかと思うのである。だから、じつはさっきこっそりと覗き見していたことは、小君にはあえて知らせずにおくのであった。せっかく小君が知恵を絞ってあれこれ尽力してくれるかもしれないのに、自分が勝手に覗いて見てしまったと明かすのは、ちょっとかわいそうだという気がしたのである。それで、そのことには触れずに、ただ、なかなか夜が更けぬ待ち遠しさばかりを口にする源氏であった。

小君、源氏を手引きして空蟬の閨へ……

源氏の意を体《たい》した小君は、こんどは、もう戸締まりされてしまった南側の格子戸口ではなく、源氏の隠れている東側の開き戸口を叩いて開けさせ、入っていく。

中では、皆寝静まっている。

「この障子口《そうじぐち》に僕は寝るからね。風よ、吹いて通れっ」

小君は、そう言うと、薄べりを広げて横になった。どうやら、女房たちは、この東側の廂《ひさし》の間《ま》に集まって寝ているらしい。戸を内側から開けてくれた女《め》の童《わらわ》もそこらあたりに入って寝てしまった。小君は、しばらく狸寝入《たぬきねい》りをして様子を窺《うかが》っていたが、ややあって起き上がると、灯火の光を遮《さえぎ》るために屏風を広げて、その薄暗がりに紛れて源氏をそーっと中に引き入れた。源氏は〈さて、どうかなあ、なにか間抜けな失敗などせねばいいが〉と思うと、やや気が気でないが、それでも小君の手引きするままに母屋《もや》の几帳《きちょう》の帷子《かたびら》を引き上げて、そのままずいっと入ろうとした。あたりは皆寝静まった真夜中のことゝて、源氏の身に纏《まと》っている上質な絹の柔らかな衣擦れの音が、はっきりと耳に立つのであった。

女は、ようやくこの頃は源氏からの文も来なくなったことを、もう忘れてくださったのだと思って、そのことを強いて嬉しく思うようにしてはいたのだが、それでも、あの不可解な夢を見たような、以前の一夜のことばかりは、なお心から離れることがなくて、「君恋ふる涙のこほる冬の夜は心解けたる寝《い》やは寝らるる（あなたを恋する故の涙が凍ってしまう冬の夜は心穏やかに眠ることなどできましょうか……いえいえとても）」と古き歌にも嘆いてある如く、心穏やかに眠ることもできず、昼はぼんやりと物思いに沈み、夜は浅い眠りからしばしば目覚めるという具合で、目の休まるときとてなく、ただただ嘆いてくらしている。まるでこれも古き歌に「夜はさめ昼はながめに暮らされて春はこのめぞいとなかりける（夜は恋しさに目が覚め、昼は物思いに苦しんで一日が過ぎるので、春は木《こ》の芽《め》が忙しく吹き出すごとく、この目も休むひまとてありません〉」と歌ってあるのを彷彿《ほうふつ》とするような日々であった。

が、例の碁を打っていた西の対の姫君は、「今夜はここに泊まっちゃおう」とか言いながら、かの人の臥所《ふしど》に来て、現代っ子らしく、もうすやすやと寝ていた。この若い娘は、物思いなどもないのであろう、ほんとうに熟睡しているようであった。しかし、源氏の思い人のほうは、展転反側《てんてんはんそく》しているところに、ふと忍び寄ってくる人の気配を感じ、しかも、まぎるるところもなく、あの源氏の身に纏っている得も言われぬ芳香がさっと匂ってくる。首をもたげて、見れば、ただ一枚だけ垂れ絹を掛けてある几帳の隙間に、暗くて定かには見えぬけれども、たしかに源氏が躙《にじ》り寄ってくる気配が、はっきりと感じられた。〈ああ、なんてことでしょう……〉、女は困却《こんきゃく》して、とっさにともかくも起き出して、手近にあった夏の絹の単衣《ひとえ》だけを身に着けると、そのままそっと寝床を抜け出した。

源氏、誤って軒端の荻と契る

源氏は、閨《ねや》に入った。そこにただ一人寝ている女の姿を見て、ほっと一息つく。もっとも帳台の下には二人ばかり女房が寝ているけれど、気取《けど》られてはいない。さっそく源氏は上に掛けている衣を押し遣《や》って女の脇《わき》に身を滑り込ませた。

するると、先夜のあの小柄な感じとは違って、もう少し大柄な感じがしたけれど、まさかそこに別の女が寝ているとは思いもかけなかった。

そっと女の体に手を触れてみても、いっこうに目を覚ます気配がない。どうもおかしい、とよくよく抱き寄せてみれば、〈やや、これは別人だ〉、とさすがに源氏も気付いた。これには驚き呆《あき》れ、また〈しまった〉とも思った。〈しかし、まさかここで人違いであったなどと、まごつくところを見せては男がすたるというものだ、……またこの女だって納得しはせぬだろう。あの人を、これから探し回るというのも、こんなことをしてまで自分から逃げるつもりなのだから、きっと徒労に終わるに違いない。ああ、これではさぞ、あの姉君も、私を愚かしい男だと思うだろうな〉と、源氏はがっかりした。〈しかし、もしここに寝ている女が、あの碁を打っていた若い女なら、この際……さて、どうしてやろう〉と源氏は思い直した。例のいささか軽薄な心がけだというほかはない。

女もさすがに目を覚ました。そうして、あまりにも意外なことになっているのにびっくりして動転している様子ではあったが、さりとて別段思慮深い心遣いも、これといってないのであった。男女の情事に関しては、何も知らないというわけでもなく、結構ませたところのある娘で、あの姉君のように消え入りそうにうろたえることもなく、源氏に体をあずけてくる。源氏はそのままこの女と情《なさけ》を交わした。

しかし、源氏は、この女に自分が誰だと名のるつもりもなかった。

とはいえ、このまま黙っていても、後《のち》に女のほうで、どうしてこういうことになったのだろうと思いめぐらしたとしたら、事は知れてしまうに違いない。

〈まあ、知れたところで自分のほうは困りもせぬけれど、本当はあの強情な姉君のところへ通って来たのだと露顕したら……、あの女は、あれほど浮名の立つことを恐れていたのだから……なんとしてもそれはまずいぞ〉と思って、源氏はとっさに、思いつくまま、言い繕った。

「こうたびたび方違《かたたが》えにかこつけて、このお邸《やしき》にまいりましたのも、じつは、あなたとこうして逢瀬《おうせ》を遂げたいと、その一心からだったのです」

この源氏の口説《くど》き文句も、よくよく筋を分けて考える人ならば、おかしいと気付いたかもしれない。しかし、この若い娘は、見たところませているようだけれど、そこまでの分別もないと見えて、ことの真相には思いも至らない。源氏は、この女もそこそこかわいいとは思うのだが、さりとて、そうそう心惹《ひ》かれるというほどでもない感じがして、やっぱり、こんなふうに逃げてしまうという仕打ちをした女の心を、ひどいやつだと思わずにはいられない。

〈さてさて、あの逃げた女は、どこに紛れ隠れているんだろうか……きっとこのありさまを見て、愚かしい男だと嘲笑《ちようしよう》しているに違いない……こんな執念深い女はめったとあるものじゃないぞ〉と思うにつけても、源氏の心のなかには、ますますそのつらにくい女のことばかりが思い出されるのである。

が、いま源氏の腕のなかには、別の若い女が抱かれている。そのありさまを見れば、とくに気に病むでもなく、いかにも若々しく罪のない様子で、それもまたかわいいとは思う。源氏は、それはそれとして、しんみりと情深く将来のことを約束などしてやるのであった。

「誰もが知る仲より、こうして密《ひそ》かに契るというのはまたいちだんと情も深まる、と昔の人も言っている。思ってもごらん。私は立場上、人目を憚《はばか》ることがなくもないのだから、我ながらそうそうなんでも自由に計らうというわけにもいかないのだ。また、ことが露顕に及べば、あなたのご両親だってお許しにはなるまい。それを思うと、私は今から胸が痛む。でもね、どうか忘れずに私を待っていてくれないか」

などと、まあ当たり障りのないことを言い連ねる。

「いえ、こんなこと、人が知ったらどう思うかと思うとわたくしは恥ずかしゅうございます。だから、わたくしからはお手紙なども差し上げられません」

女は無邪気にそう応《こた》える。

「むろん、だれかれの見境なく口外しては困るけれど、でもね、あの小君は心を許してよい者だから、あれを伝手《つて》として便りをやりとりすることにしよう。だけれども、どうか、普段はくれぐれも何気なく振舞ってくださるようにね」

など言い置いて、源氏は、かの逃げた女が脱ぎ置いた薄絹の単衣を手に持って、そのまま母屋を出ていった。


出がけに、源氏は小君を起こした。源氏のことを気にかけながら寝ついたので、小君は、すぐに目を覚ました。そうして開き戸を開けて源氏を逃がしやる。と、そこらに寝ていた年かさの女房の声で、

「そこにいるのは、誰？」

と、おおげさに訊ねてくる。やっかいだな、と思って、小君は、

「僕です」

と答えている。

「こんな夜中に、そなたはまた、なんだってそんなところをうろうろしておられますのか」

そんなことを言いながら、お節介にも外へ出てくる。まいったな、と思って、小君は、

「いや、なんでもないよ。ただ、ここへ出てみただけなんだから」

と言いながら、源氏を押し出して逃がそうとする。

暁《あかつき》の闇の空に、月が皓々《こうこう》と照って、その月あかりにふっと源氏は後ろ影を見られてしまった。

「どなた、そこにもう一人おいでの方《かた》は」

女房は詮索《せんさく》する。

「ああ、民部《みんぶ》のおもとのようねえ。なんとご立派な背の高さだこと」

女房はそう独り合点している。なにしろ、民部は背が高くて、いつもノッポノッポとからかわれていたのである。老女房は、さては民部のおもとと小君が連れ立って歩いているのだと思って、

「なーに、そなたもすぐにそのくらいの背丈におなりあそばしますよ」

と言いながら、とうとう戸口のところまで出てきてしまった。

こまったぞ、と小君は思ったけれど、といって、その老女房を押し戻すということもなりがたい。源氏は、その時、渡殿の出入り口のあたりにぴったりと身を寄せて隠れていたのだが、この老女房は、そこへ近寄ってくると、

「そなた、今宵はお方様のお側《そば》にお仕えしておられましたかの。わらわは、一昨日《おととい》から、お腹《なか》が悪くてなりませぬ。どうも痛くて弱りますので、局《つぼね》に下がらせていただいておりましたが、お側仕えの人が少ないからというのでお呼びがかかりましたほどに、昨夜お側に上がりました……でも、ああダメダメ、とても我慢ができませぬぞ」

と訴える。そうして、返事を聞くにも及ばず、

「ああ、お腹が痛い痛い、ちょっとまた後でね」

とか言いながら、厠《かわや》のほうへ走っていってしまった。

やれ助かったと、源氏はほうほうの体《てい》で邸を脱出した。やはり、こういうお忍びの夜歩きは、軽率で危なっかしいことだと、さすがの源氏もさぞ懲りたことと思われる。

源氏、帰邸後、歌を詠んで、小君に託す

かくて、小君も源氏を乗せた車の後《うし》ろに同乗して、二条の邸に帰った。こたびの体《てい》たらくをあれこれと話しながら、小君を、おまえはまだまだ幼いな、と貶《おとし》めながら、あの逃げた女の心を恨みつつ爪弾《つまはじ》きをしてみせる。小君は、その源氏の様子がお気の毒で、なにも言えなくなってしまうのだった。

「お前の姉君は、あれほどまでに私を深く恨みなさるようだから、我ながら我が身が厭《いと》わしくもなってきた。どうして、親しく逢うてはくれぬまでも、せめて心やさしいお返事くらい下さらぬものだろう……。さても、あの伊予の介よりも、私のほうが見劣りがするというわけなのだろうかね」

などと、源氏は、つくづく不愉快に思って言い募る。それでも、さっき取ってきた単衣の小袿《こうちき》を、恨めしいという言葉とは裏腹に、やっぱり衣の下に引き隠して、そのまま寝所に入ってしまった。

小君をすぐ前に寝かせて、くどくどと恨みごとを言うかと思うと、一転して慰めるよう

なことも言う。

「おまえは、かわいいけれど、あのひどい人の弟なんだから、私たちの仲だって、結局は長続きするとも思えないな」

と、大まじめな顔で源氏が言うのを、小君はほんとうに悲観的な思いで聞いている。

源氏は、そのまま横になっていたが、どうしても眠りをなさぬ。起き出して硯《すずり》を急ぎ取り寄せると、だれかれへの手紙という風でもなくて、ただなんとなく手習いでもするような調子で、ありあわせの懐紙に書きすさんだ。

「うつせみの身をかへてける木《こ》のもとに
なほ人がらのなつかしきかな

生身《うつせみ》のあなたは、ふと姿を隠してしまって、あとには空蟬《うつせみ》(抜け殻)だけになってしまった、その抜け殻の留まっている木の下で、それでもなお、蟬《せみ》のではないあなたという人間の抜け殻の衣を、そしてあなたのお人柄を、なつかしがっているのです、嗚呼《ああ》」

と、こんな恨めしい歌を書いたのを、小君はさっそく懐に入れた。この懐紙を姉のところへ持っていくつもりなのである。

源氏は、あの間違えて契ってしまった娘がどう思うだろうと、ちょっと気の毒になったが、いやいや、あの娘にはこれ以上深入りせぬことにしよう、と思って後朝《きぬぎぬ》の文《ふみ》などはやらぬことにした。

いま手元に持ち帰ってきたあの人の小袿からは、その人を思い出させる移り香が迫ってくる。そこにその人の肉体が存在しているような愛《いと》おしさを感じて、源氏は、なお片時としてその衣を手放さず、じっと見詰めたりしている。

空蟬、その心情を源氏からの畳紙の端に古歌に託して書きつける

小君は、さっそく紀伊の守の邸に行ってみると、姉君は待ちかまえていて、頭ごなしに叱《しか》りつけた。

「なんですか、昨夜のあれは。なんとか難だけは逃れたけれど、あんな騒ぎを引き起こしては、みんなに怪しく思われたに決まっています。ほんとうに、おまえも困った子ね。こう頭が幼稚では、源氏さまだってどうお思いになっていることか」

小君は立つ瀬がない。源氏には恨み言をさんざん聞かされ、姉には叱りつけられる。そ

れでも、おずおずと源氏の手習いめいた懸想文《けそうぶみ》を懐から取り出して姉に渡した。さすがに、姉君も無下《むげ》にはできず、手に取って見た。

〈さては、あの脱ぎ捨てた小袿を、源氏さまはお手元に持っておられる。しまった、もしや、あの古歌「鈴鹿《すずか》山伊勢《やまいせ》をのあまの捨て衣潮《ごろもしほ》なれたりと人や見るらむ（鈴鹿山を越えて伊勢の海士《あま》の捨てた衣のように、潮じみているとあなたは見るでしょうね。でも本当は私の涙で濡《ぬ》れておりますのに）」に歌われている伊勢の海士の潮馴《しおな》れ衣ではないけれど、汗みずくで見苦しかったのではないかしら〉と思うにつけても、くよくよと悩まれ、心は千々に乱れてやまない。

また、西の対に住む人も、やっぱりああいうことになってみれば、恥ずかしいという思いに駆られて、西の自分の局に帰っていった。けれども、彼女が源氏と情《じょう》を通じたということは誰も知らぬことだったので、自室に戻ってからも一人ぼんやりと物思いに耽《ふけ》っている。

〈……あの時、源氏さまは、小君を使いにして消息を交わすことにしたいと言っていたけれど、じっさいには、小君はしきりと往来しているのに、自分のところへは手紙一つ来ないわ……〉と、あの情事が、まるで呆れ返ったような人違いであったとは知る由もなくて、ただませた心に、いっぱし悲しい物思いをしているようであった。

つれない姉君のほうも、うわべはおっとりと落ち着いていたけれど、内心はさざ波だっている。

〈ああ、あの源氏さまのご様子は、そうそう浅いお心にも見えなかった。もしかしたら、ほんとうに思いをかけてくださっているのかもしれない。これが、今のようなしがない身分ではなくて、あの実家に暮らしていた娘時代の自分だったら……今さら昔を今に取り返すことはできないけれど、でも、それを思うと、つくづく我慢が出来ない……〉と思って、源氏のよこした懐紙の片端に、一首の歌を書きつけた。

うつせみの羽《は》に置く露の木《こ》隠《がく》れて
忍び忍びに濡るる袖かな

あの衣は濡れておりましたでしょう。蟬の抜け殻の羽に置いた夜露が木陰に隠れ潜《ひそ》んでいるように、私もこっそりと堪え忍びながら、涙に袖を濡らしておりましたもの

この歌よりして、この人を空蟬《うつせみ》と呼ぶことにしよう。

夕顔《ゆうがお》

源氏十七歳の夏から十月まで

源氏、五条の乳母《めのと》を見舞う

六条のあたりのさる女のところへお忍びで通っていた時分のことであった。ちょうど内裏《だいり》からその六条へ通う途中の中休み所として、源氏は五条にある乳母《めのと》の大弐《だいに》の家を探して訪ねていった。大弐は大病をして尼になっていたので、通り道だからついでに見舞おうというつもりもあったのである。

行ってみると、牛車《ぎっしゃ》を引き入れるべき表門は鍵《かぎ》がかかっている。源氏は、しかたなく、その大弐の乳母の息子である惟光《これみつ》を呼べと供の者に命じて、しばらくそこに待っていた。見渡せば、いかにも雑然としてむさくるしい大路《おおじ》のありさまである。

この乳母の家の隣には、檜《ひのき》の薄板を張り巡らした新しい塀を設けて、その上のあたりには半蔀《はじとみ》（小型の蔀戸《しとみど》）を四、五枚ずっと開けわたし、中の簾《すだれ》も真っ白な新品を掛けた家がある。その涼しげな簾を透かして、何人もの女たちがこちらを覗き見しているらしい姿が見える。額から上しか見えないのだが、それでもどこかしら風情《ふぜい》が感じられ、その頭だけが塀の上にあちこち動き回っているのを牛車のなかから見ていると、なんだかずいぶん背の高い女たちのように錯覚された。

〈あれは、……さてどんな女たちが集まっているのであろうか……風変わりな家だが……〉と源氏は、めずらしく眺めている。

お忍びのことで、ずいぶん粗末な車に乗って、先触れの者も走らせないで来たのだから、おそらく誰もこれが自分の車だとは気付くまいと高をくくって、源氏は、すこし顔を出してその家の中を覗《のぞ》いた。すると、門のところの戸も蔀戸《しとみど》と同じように吊《つ》り下げ式の戸で、それが折しも引き上げてあるので、とりたてて覗き込まずとも内部は丸見えになっている。

いかにも質素な住まいで、「世の中はいづれかさしてわがならむ行きとまるをぞ宿と定むる（世の中はどこをさして我が家と定めることができるだろうか、いずれかりそめの世だ、ふっと足を止めたところが即ち我が家だと定めるほかはなかろう）」という古歌なども、おのずから思い出されて、〈そう思ってみれば、こんな質素な家も、自分の住む立派な御殿も、いずれかりそめの宿り、なにも変わりはしないな……〉などと、しおらしいことを源氏は思った。

門の中に、また粗末な板塀のようなものが立ててあって、そこに鮮やかな緑色のつる草が、心地好《よ》さそうに這《は》いかかっている。見れば真っ白な花が、ひとりにっこりと微笑むように咲いている。源氏は、低い声で、古い旋頭歌《せどうか》をうち誦《ず》んじた。

「うちわたす遠方人《をちかたびと》にもの申すわれ、そのそこに白く咲けるは何の花ぞも（見渡して、あの遠きお方にお尋ねします。その、そこに白く咲いているのは、何の花ですか）」

そんな歌を独り言のように詠じていると、御随身《みずいじん》（随行の警護官）がひざまずいて言上《ごんじょう》する。

「あの白く咲いておりますのを、夕顔《ゆうがお》と申します。夕顔などと人間めいた名は一人前でございますが、こういうみすぼらしい垣根に咲く花でございます」

なるほど、彼の言うとおり、ごみごみと小さな家が建ち並んでむさくるしい街並みの、ここにもあそこにも、見苦しく傾いて、いまにも倒れそうな家々の軒先などに、その夕顔が這い回っているのを見て、源氏は、

「せっかく美しく咲いているのに、かわいそうな運命だね、あの花は。あれを一房折ってまいれ」

と命じたので、随身はさっそくその戸を押し上げた門の中に入って折ろうとした。

すると、貧しいながら、それなりには風情よくしつらえた引戸の口に、黄色くさらりと

した絹の単袴《ひとえばかま》を裾《すそ》長く引き着なした、それもなかなか美しい女の童《めわらわ》が出てきて、随身を招き寄せる。見れば、香を焚《た》きしめて芬々《ふんぷん》たる芳香を放つ白扇《はくせん》を手にしている。

「この扇《おうぎ》に置いて進上するようになさいませ。ろくろく形の良い枝もないようなお花ですもの」

と言いながら、その扇を差し出した。

その時、ちょうど源氏にとっては乳母子《めのとご》に当たる惟光が出てきたので、随身は、この扇に乗せた花を源氏に差し上げるために惟光に託した。

「申し訳ございません。じつは正門の鍵をどこかに置き紛らしてしまいまして、まことにご無礼をいたしました。このあたりの者どもは、誰が誰とも見分けのつくような連中ではございませんが、それでも、こんな乱雑な大通りにお車を止めさせまして……」

と、惟光はひたすら恐縮の体《てい》である。

そうしてやっと正門の鍵が開《あ》いたので、源氏はようやく車を門内に引き入れて降りた。

大弐の乳母が病気だというので、惟光の兄に当たる阿闍梨《あざり》や、娘婿の三河《みかわ》の守《かみ》や、また娘や、皆が来集《きつど》うていたところへ、ほかならぬ源氏がやってきたので、一同こぞって礼をのべ、これ以上の光栄はないとばかり恐縮しきっている。

病人の尼も起き上がって、

「どうなっても惜しくはない身の上でございますが、なお出家などしたくないと思っておりましたのは、ただただ、源氏さまの御前に、かような変わり果てた姿をお目にかけることが残念で、それで出家のことは長らく躊躇《ためら》っておりました。けれども、思い切って尼になりまして、ひたすら仏道に帰依いたしましたことの御利益《ごりやく》に、生き返ることができまして、しかも、こうして源氏さまにお見舞いいただきましたのを拝見いたしましたのですから、……今はもうこの世に思い置くこともなく、阿弥陀《あみだ》様のご来迎《らいこう》をすがすがしい気持ちでお待ちいたすことでございます」

などと言いながら、弱々しく泣いた。

「いや、日頃より、ご病状が思わしくないということでしたので、不安に思って嘆いておりましたが、このように潔く世を捨てられたのを拝見しますと、わたくしも胸を打たれ、また残念な気もいたします。どうかもっともっと長生きしていただいて、わたくしが出世するところをご覧いただきたいと思っております。そうあってこそ、九品《くほん》の浄土の内にも上品上生《じょうぼんじょうしょう》の位に、障《さわ》り無くお生まれになることができましょう。この世に少しでも思い残しがございますと、後世《ごせ》にもよろしくないと聞きます」

源氏は涙ぐみながら、そんなことをかきくどいた。

たとえ、よほど出来の悪い子でも、乳母というような者は、あきれるほど立派な子だと思いなすのが世の常であるが、ましてや、その子がほかならぬ源氏なのであってみれば、ひたすら晴れがましくて、親しくお世話した自分自身までが大切に思え、またそういう立場であったことを、もったいないことと思っているらしく、尼はただただ涙にくれている。

尼の子どもたちは、その泣きぬれる母の様をまことに見苦しいと思って、〈ああ、ああ、あれではいったん捨てた俗世にまだまだ未練が残っているように見える……そんなふうにぐちゃぐちゃの顔を、源氏さまのお目に掛けてはなあ……〉と、目引き袖《そで》引きしている。

しかし、源氏は、たいそう胸打たれて、

「わたくしが幼い頃、この身を思いやってくれるはずの人々が、つぎつぎに先立ってしまったあと、育ててくれる人はたくさんあるように見えましたが、ほんとうに心を込めてわたくしを愛育してくれたのは、尼君を措《お》いてほかにはなかったように思っております。こうして成人の後は、気随気儘《きずいきまま》というわけにもまいりませぬことで、公私の多端《たたん》に取り紛れ、朝夕に気安くお目にかかることもできず、また思いのままにお訪ねすることもありませんでしたが、それでも、久しくお目にかからずにいると、なんだか心細い気がいたしまして、例の古物語に申します『さらぬ別れ』など、なければいいが、とのみ思っておりました」

と源氏は、伊勢物語の「世の中にさらぬ別れのなくもがな千代もと祈る人の子のため（この世に避けることのできない別れ……死別などということがなかったらいいのに。母上の命が千年も続きますようにと、こうして祈っている子のために）」という古歌まで引きながら、至らぬくまなく語り合い、涙を押し拭《ぬぐ》う。その袖の芳香が、部屋いっぱいに充《み》ち満ちて、ああ、思えばこの尼君も、こんなに素晴らしい君を育てたということこそ、また並びなく光栄な運命であったと、さきほどは母を非難するような思いでいた子どもらも、今はみな涙でぐしゃぐしゃになっているのであった。

源氏、夕顔の家の女に心を寄せる

病魔退散を祈る加持祈禱《かじきとう》など、ほかにもできるだけのことを始めるようにと命じて、源氏は座を立った。家を出ざまに、惟光に紙燭《しそく》を持ってこさせ、さきほど献上された扇を見てみると、その扇の持ち主が身につけていたための移り香がしみじみと香ってくるのにも心惹《ひ》かれたけれど、なおそこに、見事な手でさらさらと歌が書き流してあった。この歌のゆえに、この人を夕顔の女と呼ぶことにしよう。

心あてにそれかとぞ見る白露《しらつゆ》の
光そへたる夕顔《ゆふがほ》の花

当て推量で、もしやそうではないかと思います。

白露が光を添えた、……その光る君のご来臨を得た夕顔の花でございますもの

何気ない感じに書き散らしたのも、気品があって由緒ありげであったから、おおこれはと、源氏は、意外な面白さを覚えた。そこで惟光に、

「この西隣の家には、誰が住んでいるのか、そなたは聞いたことがあるか」

と訊《たず》ねる。惟光は、〈またいつもの悪いクセが……〉とは思ったけれど、まさかそうも言えない。

「いえ、それがしも、この五、六日はこちらにおりますが、病人のことばかりに案じかか

ずらっておりますので、隣のことまでは承知しておりませんで……」

そのように、あえて素っ気なく答える。

「さては、惟光、そのほうは私がこういうことを訊《き》くのは、けしからぬことだと内心思ってるんだな。それはしかし、とんだ邪推というものだ。私はこの扇があまりにもすばらしいので、ちょっとどういうわけがあるのか、知りたくなったばかりだ。まだ聞いていないのなら、さっそく近所の訳知りにでも訊《たず》ねてみよ」

惟光は、主命《しゅめい》もだし難く、さっそく母の家の管理人を呼び出して訊ね、すぐに報告する。

「なんでも、揚名《ようめい》の介《すけ》となっております富裕家の持ち物の家なんだそうですが、その主人は田舎に参っておりまして、妻はまだ若くてなかなか派手好きという次第で、その姉妹に、宮仕えをしている者がおるとか、で、なにやらただいまそれが出入りしているようだ、と管理人は申しております。それ以上の、詳しいことは、なにぶん下々《しもじも》の者ゆえ、分かりかねるのでございましょう」

揚名の介、とあれば、よほど裕福で、金にあかせて地方次官の官名のみを買って名乗っているというわけなのであろう。

〈……ははあ、それでは、この扇をよこした女は、その宮仕えの、というわけか。どうりでいかにもしたり顔で、達者らしく歌など詠みかけてきたものだ……〉と源氏は内心に思う。〈じっさいにはがっかりするような下《しも》ざまの身分の者かもしれないが、……いやいや、それだにもせよ、自分を源氏と目《もく》してあのような歌を詠みかけてきたとなると、その心ばえはなかなか愛すべきところがあって、見過ごしにもできないぞ〉と、またいつものちょっと軽率な女好きの心が発動してきたように見えた。さっそく手元の懐紙《かいし》に、いつもの自分の筆跡とはあえてまったく違った字風で、源氏は、返し歌を書きつけた。

「寄りてこそそれかとも見めたそかれに
　ほのぼの見つる花の夕顔《ゆふがほ》

もっと近寄ってこそ、それがだれかとも、はっきり分かりましょう。
誰《た》そ彼《かれ》は、と判然しないたそがれのころにも、
こうして白々とした光宿した夕顔の花の、その夕べの顔を」

そこにまだ控えていた随身に託して、この歌を返し遣《つか》わした。
それを受け取った女たちのほうでは、もともと源氏の顔など誰も見たことはなかったの

だが、それ以外にはありえないというほどの、ちらりと見かけた横顔の美しさに、さては源氏さまに違いないと当て推量をして、せっかくの機会を逃す手はないとばかり、かくのごとくうちつけに歌など詠みかけて源氏を驚かせたのであった。しかし、なかなかお返事がいただけなかったというわけで、なにやら間《ま》の悪い思いをしているところに、源氏のほうから、こんなに念の入った返事をよこしたので、女どもはすっかりその気になって、

「ま、どうしましょう、また何か書かなくては」

などと、わやわや言い合っているのを耳にして、使いの随身は、〈とんだ身の程知らずどもだ〉と呆《あき》れながら帰ってきた。

だんだんと暗くなって、夜になった。六条の通い所では、女がもう待ちかねているであろう。源氏は、こんどは松明《たいまつ》を灯《とも》した先駆けを走らして、そのほのかな光の中、こっそりと乳母の家をすべり出でた。出がけに、西の隣を振り返ってみると、さっきは上げてあった半蔀はみな下ろしてあり、その隙間《すきま》から見える室内の灯《とも》しの光が、あたかも蛍火《ほたるび》よりもほのかにちらちらして、なにやら物寂しく見えた。

六条の邸《やしき》に着いた。この邸は、木立にしろ庭の植え込みにしろ、そこらの家とは格段に

違っている。たいそうゆったりとして、いっそ心憎いと思うほど優雅な佇《たたず》まいに住みなしている人なのであった。

源氏はそのまま、この邸の女と一夜を過ごしたが、この人のたいそう気品のある様子など格別であって、もはや源氏の心には、あの夕顔の垣根の家のことなど、思い出すまでもない。

一晩を過ごして翌朝、源氏は少し寝過ごして、もう日が上ったころに、この六条の邸を出た。その朝の光のなかを帰っていく源氏の姿は、なるほど世間の人がほめそやすのも道理だと思うような、素晴らしい美しさであった。

帰りがけにもまた、あの五条の家の半蔀の前を通っていった。それを眺めるにつけて、今までこの家の前だって通《とお》ったことはあったかもしれないのだが、一向に気に留めて見たこともなかった。それが、昨夜のあの扇の一件が心に留まって、あれはいったい誰の住み家であろうかと、それからは行き来の度に目を留めるということになったのである。

惟光に夕顔の女の正体を探索させる

何日か経《た》って、惟光がやって来た。

「母の病気のほうは、まだはっきりもいたしませんが、なんとか皆で看病いたしております」

などと言いながら、源氏の近くに寄って耳打ちする。

「ご下命につき、さっそく隣のことを良く知る者を呼びつけて訊《たず》ねさせてみましたが、どうもはっきりいたしませんのです。なんでも、ごくごく内密にということで、五月《さつき》頃からあの西の家においでの方があるようなのですが、その方がだれなのかということは、まったく家の者にも知らせないんだそうでございます。私も気になりますので、時々、境の垣の隙間から覗き見ておりましたが、たしかに、若い女どもがいるのが隙間からちらちらと見えます。それがなにやら褶《しびら》とやらいうような袴を、形ばかりに着けておりまして、中心には主人として皆がかしずいている女がいそうに思われます。昨日は、ちょうど夕日が具合良く室内まで射し込んでおりましたので、その光で透かし見ると、どうやらその主人らしい女が手紙でも書く様子で座っておりますのが、よく見えました。すると、これがたいそう美形でございまして……、しかも、なにか物思いに沈んでいる風情にて、側仕《そばづか》えの者どもも、忍び泣くような様子が、はっきりと見えましてございます」

源氏はそれを聞くと、にっこりと微笑み、〈それは聞き捨てならぬ。もっと詳しく知りたいものだが〉と思う。

〈それにしても、源氏様は身分こそ重くていらっしゃるけれど、まだお若いんだし、とかく女たちのあこがれで、みんなこぞって誉《ほ》めそやすという様子なんだし、これであまり色好みの方面に疎《うと》いというのも、いかにも殺風景で物足りない思いがするよなあ。あんなやつはどうしようもないと誰もが相手にしないような下らない男でも、あの色事方面ばかりはみんな好きだからなあ〉と惟光は内心思っている。

「じつは、それがしも、もしやなにか見いだせることがあるかもしれないと存じまして、かれこれの口実を作って文など書き送ってみました。すると、書き慣れた手で、たちどころに返事などよこします。そういうところを見ると、いかにも気の利いた若い女房などがいるように見えます」

惟光がそう報告すると、源氏はなお命じた。

「さらに言い寄れ。あの女の正体をつきとめないでは、どうにも物足りないことだからね」

この女などは、あの左馬頭《さまのかみ》の言っていた下級のなかの下級だというので誰も思いを寄せなかったような粗末な住まいにいるのではあるが、そのなかにも、意外に悪くない女を見つけたらば、それはめずらしい掘り出し物だなあ、と思ったのであった。

伊予の介上洛、空蟬に思いを残す

さて、あの空蟬《うつせみ》の女だが、自分を蔑《ないがし》ろにすることとあきれるばかりであったから、あれは当たり前の女ではなかった、と源氏は思う。もし空蟬が素直に源氏の情《なさけ》を受け入れていたならば、おそらく今ごろは単なる「気の毒ながらちょっとした勘違いで過ちを犯した」くらいのところでそれきりになっていただろうに、なまじ小癪《こしやく》なやり方で自分を袖にしたので、源氏の心中には、負けのままでやめるわけにはいかない、と意地ずくで気にかかってしかたないのであった。

そもそも、あんな受領《ずりよう》の後妻ふぜいの女にまで思いを掛けるなどということは、本来あり得ないことだったのだが、あの雨夜の品定めの折に、左馬頭が中流の女などを云々《うんぬん》したのを聞いて、世の中にはいろいろな階級の女の面白みがあるものだと、ついついそんなところまで興味が引かれてしまったというところなのであった。

また、あの空蟬のところで、それこそ間違って契《ちぎ》ってしまった女、どうやら、あのとき源氏が出任せに言ったことを真に受けて、なんの疑いも持たずに、今でもまたの逢瀬《おうせ》を待っているらしい。源氏は、いくらか心を動かさぬでもなかったが、あの空蟬のやつが知らん顔して間違いの一部始終を聞いていたに違いないと思うと、それが心やましく、まずはとにもかくにも、空蟬のほうの本心を確かめなくてはどうにもならぬと思っているところに、伊予《いよ》の介《すけ》が上京してきてしまった。そうして、取る物も取りあえず源氏のところへ挨《あい》拶《さつ》にまかり越したのであった。

引見《いんけん》してみると、伊予の介は、船路《ふなじ》のせいであろうか、顔は黒く焼けて旅のやつれが目立ち、いかにも不格好な姿でいただけない。とはいえ、もともとはそれなりの家柄の血筋ゆえ、今では老けてしまってはいるけれど、よく見ればなかなか端正で立派な男ぶりだし、由緒ありげな人物ではあったのである。

対面して任国の伊予の話などをするので、源氏は、あの名高い道後《どうご》温泉の湯桁《ゆげた》とやらはどれほどあるのか、など聞いてみたいと思ったが、空蟬のことがあるので、なにやら伊予の介の顔を正視しにくくて、心のなかには、ただあの空蟬のことやら娘のことやら、さまざまのことが去来していた。相手はいかにも真面目そうな年長者なのに、若造の自分がこんな思いをしているというのも、考えてみればいかにも愚かしげな、後ろめたいことであった。まさに、これこそは、妻の不貞によって夫がひとかたならぬ恥をさらしかねぬというようなことに違いないと、源氏は、あの左馬頭の諫《いさ》めごとを思い出して、目の前の伊予の介がふと気の毒にもなってくる。また、空蟬は自分にとっては強情で癪《しゃく》に障《さわ》る奴だが、夫の伊予の介にとっては貞節なる妻だと感心もするのであった。

この度、伊予の介が上京したのは、実はあの間違いで契った娘を適当な人に縁づけて、後妻の空蟬を連れて任国に下るためであるということを聞いて、源氏は、ひとかたならず心急《せ》かれる思いにかられる。なんとかして今一度の逢瀬が叶《かな》うまいかと、小君を相手にあれこれと語りあうのだが、ことは夫のいる人妻に逢うというわけなのだから、相手の女と気脈を通じていても、姿をやつして逢いに行くということはなかなか難しいのに、ましてこの場合は、肝心の空蟬が、源氏とではまるで不釣り合いだと思って必死に拒んでいるものを、今さらの逢瀬など見苦しい行ないだと、思い切りをつけているとあっては、叶うはずもないのであった。

とはいえ空蟬のほうではまた、源氏が完全に自分のことを忘れてしまうようなことでは、やっぱり張り合いがなくて、それはそれで辛いことと思い、源氏が折々よこす手紙などにも、返事をしたほうがよいと思われる場合には、ふわりと心惹かれるような文面で返事を書き、さりげない筆づかいで詠み込む歌などにも、なんとも言えず可憐《かれん》で印象深い言い回しを加えてみたり、……そのため、源氏は、どうしてもこの女を恋しく思わずにはいられない、冷淡で強情で癪に障るけれど、でも忘れられない、とこう思うのであった。

もう一人の、間違って契ってしまった娘のほうは、いずれ誰かに縁づいたとしても、口《く》説《ど》けばかならず言うことを聞きそうに見えたので、源氏はすっかり安心して、この女の縁談の噂《うわさ》はあれこれ耳にしたが、別になにも心は動かされずにいる。

秋、珍しく六条の女君に通う

秋になった。

「木の間より漏り来る月の影見れば心尽くしの秋は来にけり（木々の枝の間から漏れてくる

月の光をみると、ああ、物思いに心を砕く季節、秋が来たことだなあ）」と、そんな古歌を思い出す季節が来たのだ。源氏もまた、誰のせいでもなく自ら蒔《ま》いた種ながら、あれこれ恋の物思いに心を砕いていることがあって、そのせいか、左大臣邸に行くことはめったとなく、舅《しゅうと》の左大臣はじめ、その娘で源氏の正妻である葵上《あおいのうえ》も、みな恨めしく思っていた。また六条のあたりに通っていた御方《おんかた》というのは、もともと源氏の求愛にはなかなか応じようとしなかった、身分も気位も高い方だったのだが、それを源氏は無理やりに口説き落として言うことを聞かせた、そういう恋人なのであった。が、いったんそのような関係になってしまった後は、手のひらを返したように疎略な扱いをしているのは、いかにもお気の毒なことだったが、それにしても、まだ体の関係を持たなかったころにはあれほど執着していたものを、どうしてまた、今はこのようにあっさりとした心になってしまったのであろうと、まことに理解に苦しむことであった。

この六条の女君は、物事を度を越して思い詰める性格ではあり、また源氏よりはるかに年上で不釣り合いなことでもあり、もし万一、源氏との関係が世間に漏れ聞こえたらと思うとそれも気が気ではなし、ともかく一人ぽっちの閨《ねや》で、夜も安くは寝られぬまま、展転《てんてん》反側《はんそく》、ああでもないこうでもないと、くよくよと思い悩むばかりの毎日であった。

霧の深く立ちこめている朝、めずらしく源氏は六条の邸に通ってきていたが、もうまもなく朝になる時分に、「ともかくもうお帰りにならなくてはいけません」と、女君にひどく急《せ》かされて、眠たそうな様子でぶつぶつ言いながら帰っていこうとしていた。近侍《きんじ》の女房の中将《ちゆうじよう》の君《きみ》という者が、格子戸を一枚だけ引き上げて見せたのは、「源氏さまのお帰りですから、どうかお見送りなさいませ」とでもいう心積もりらしい。そうして几帳《きちよう》も脇《わき》へ引きのけたので、女君は物憂げに床から頭を持ち上げて、外のほうを見やった。前の植え込みに、折しも朝顔などが、色とりどりに咲き乱れていたが、源氏はその植え込みのあたりで、名残惜しそうにたたずんでいる、その姿は、まことにたぐいなき美しさであった。

やがて、源氏は車に乗るために渡り廊下のほうへ歩き始める。中将の君がそのお供についてきたが、その出で立ちは、紫苑色《しおん》（表紫、裏萌黄《もえぎ》）の襲《かさね》のいかにも季節柄の衣に、薄絹の裳《も》をすっきりと引き結んだ腰のあたり、まことに女性的な美しさに満ちてしっとりと魅力的である。源氏は、ふと振り返ると、御殿の隅の欄干《らんかん》に、しばらくこの中将の君を引きとどめた。中将の君の端然とした態度といい、また黒髪の豊かなかかり具合といい、源氏は惚《ほ》れ惚《ぼ》れとした表情で見詰める。

「咲く花にうつるてふ名はつつめども
　折《を》らで過ぎうきけさの朝顔

こんなに美しい花を目の前にして、うつる〈＝色が変わる〉なんて言葉は禁句ではあるし、心がその花にうつった、という浮き名が立つことを恐れもするのだけれど、でも、やっぱりこんなに美しい朝顔を、いや、あなたのこの朝のお顔を見ては、私の心はこの花にうつってしまって、手折《たお》らずには行き過ぎがたい思いにかられます

さて、どうしたものだろうね」

と、殺し文句のような歌を詠じながら、源氏は中将の手をとらえた。しかし、中将の君はそんなことに慣れっこになっているとみえて、即座に歌を返す。

「朝霧のはれまも待たぬけしきにて
　花に心をとめぬとぞ見る

この朝の霧が晴れるのもお待ちにならぬ様子で、いそぎお帰りになろうとするのは、あんなに美しい花にお心を留められぬものと拝見いたします」

源氏の口説き文句を、主人六条の君への口説き文句であるかのように、巧みにはぐらかしたのである。

その間《かん》、源氏に命じられて庭に降りた美しい近侍の少年の姿もまことに素敵で、このために誂《あつら》えたような風情にみえる。それがまた、指貫《さしぬき》の裾を朝露に濡《ぬ》らしながら、咲き乱れる花のなかに立ちまじり、朝顔を折って差し出す様子など、まことに一幅《いっぷく》の絵に描きたいほどである。まして源氏の姿ともなれば、そこらの人がちらりと見ただけでも、心を奪われぬことはないだろうというほどの美しさである。いわば、没人情《ぼつにんじょう》の樵《きこり》ふぜいでも、とかく美しい花の木陰に休息したいと思うようなものであろうか（あの古今集の序の「大伴のくろぬしは、そのさまいやし。いはば薪負へる山人の、花の陰に休めるがごとし」ではないけれど）、この源氏のさしも光り輝くばかりの姿を見る者は、それぞれ各人の身分相応に、自分の可愛いと思っている娘を、お側に奉公させたいものだと願い、また人前に出しても恥ずかしくないと思っている妹などを持っている人は、ほんの下婢《はしため》でもいいから、この君のお近くに仕えさせたいと思わぬものとてなかった。

まして、この六条の邸に仕えて、しかるべき折々に心ある歌などをもらいもし、その魅惑的な姿を見知っている女房衆などのなかでも、いやしくも恋の情を知る中将の君のような者は、この君のことを疎略に思うことなどできはしない。せっかくこうして、自らの仕える邸に通って来られるのに、ただただ人目を憚《はばか》って夜密かに行き来するばかりで、天下に恥じない通い所として朝夕ゆっくりと過ごしてくれないのを、いかにも物足りないことと思っているらしいのであった。

惟光、探索の報告、そして手引き

さてさてそれはともかく、あの惟光が請け負っていた隣家の覗き見探索のことだが、だいぶ丹念に内情を探って報告したことであった。

「その主人の女が、誰であるかということは、いっこうに分明《ぶんみよう》でないのですが、なにしろ世間からひどく隠れてひっそりと暮らしている様子に見えましてございます。そのため、女たちは退屈していると見えまして、南の、例のあの半蔀のある長い建物のほうに出て参りましてね、大通りに車の音などするたびに外を覗いて探るようでございます。お付きの者たちだけでなく、その主人らしい女も時々は出て見ているように見えました。その姿形は、ちらりと見えた感じでは、たいそうかわいらしゅうございました。

ある日のことでございます。先駆けの者が声を発しながら通《とお》っていく牛車《ぎっしゃ》がございましたところ、その様子を観察いたしましてね、女の童《めわらわ》が慌てて『ねえねえ、右近《うこん》の君、ともかくご覧なさいませ。中将さまが、前をお通りになりますよ』と、こう言うと、さっそくそこへなかなか姿の良い大人の女が出てまいりましてね、『シッ、黙って』と、手で制したりなどいたします。それでいて、『どうして中将様だと分かったのかしらねえ、どれどれ、私も見てみましょう』などと言いながら、這《は》い出てまいりました。内の邸からその長屋までは、板を渡した橋のようなものを通ってまいりますのです。その右近なる女房、あまり急いで出てまいりましたもので、この板の橋のあたりに、ハッハ、衣の裾を引っかけましてね、よろよろっと倒れて、すんでのところで、その橋からおちそうになりましたので、『なにっ、この橋は、例の葛城《かづらき》の神が、よっぽど危なっかしく架けてくれたものだわね』と、その板橋に八つ当たりしましてね、覗いているこちらもすっかり白けてしまったような次第でございます。ところで、その中将殿のお車とやらでございますが、車中を観察いたしますと、車の主は直衣《のうし》姿でして、御随身どもも付き従っておりました。あれは誰、そっちは彼と、こうよくよく見てみますと、いずれも頭中将《とうのちゅうじょう》の御随身どもに間違いありません。また随従しておりました小舎人童《こどねりわらわ》どもを見ましても、いずれもさようで。そこで、この中将が、あの頭中将様と知れましてでございます」

かように惟光は報告する。

「ふーむ、さようか。ならば、私もその車をしっかりと見てみたかったものだが」

源氏はこんなことを漏らした。内心には、〈……もしや、その隠れている女というのは、あの雨の夜に中将が申していた、心に沁《し》みて忘れられないという、あの常夏《とこなつ》の女とやらではあるまいか……〉と思い付いたのであったが、その興味津々という顔つきの源氏を見るにつけて、惟光は、

「じつは、私自身、その隣の家の女の一人によくよく恋文など仕掛けまして、おかげさまで家内の様子などもすっかり分かってしまいました。そうしますとですね、主人らしい若い女が、まるで主従の関係でなく、仲間同士のようなふりをして口を利《き》きあっている……ってのはつまり、私に主従だということを知られないように、たばかっておりますのですが、しかし、こっちはだまされたふりをして、知らん顔で聞いておりますと、ハッハッハ、すっかりだましおおせたつもりで、話しますうちに、その主人の女には、ちいさい子どもなどがいることが分かりまして、それでも、ついつい口の利き方など、主人と従者らしい敬語が口をついて出てしまったりしましてね、それをまた、あわててごまかして主従

ではないようなふりをしたり、まことに、おかしなものでございました」

そういって、二人は笑いあった。

「では、尼君をお見舞いするついでに、私にも覗き見をさせてくれよ」

と源氏は言う。

たといそこが、この女たちにとっては単なる仮の宿りだとしても、あの家の佇まいを見れば、あれこそは例の左馬頭が侮蔑《ぶべつ》的に判定した下級の住まいというべきだろうが、そのなかに、思いがけずすばらしいことでもあったら……などと源氏は期待せずにはいられないようであった。惟光は、ささいなことでも、源氏の心に叶わぬことがないようにしなくては、と思って、同時にまた自分も抜け目のない色好みであってみれば、その隣の女に関しては、隅々まではかりごとを巡らして段取りをつけ、無理やりに源氏がそこへ通うことができるように取り計らった。

このあたりは、ちょっとくだくだしいので、いちいちのやりとりについては省略する。

源氏、ひそかに夕顔の女に通う

女のほうで自分がどういう者であるかを明かさないので、源氏も名乗ることはせず、それどころか、やりすぎと思われるほどに姿を窶《やつ》して、その気合いの入れようは普通でなかった。ここまでするからには、源氏の思い入れはよほど並々でないのであろうと思うので、惟光は自らの馬を源氏に提供して、自分は走ってお供をするのであった。

「これで、私もいちおうあの家のなにがしという女の恋人ということになっておりますのに、こんなふうに歩いて通っていって、そのお粗末な足下を見られたら、どうもかないませんがねえ」

などぶつぶつ言うけれど、源氏は、秘密厳守ということから、惟光のほかには、あの夕顔の花を取り次いだ随身と、向こうのだれにも顔を知られていないはずの童を一人連れただけのお忍びで通うのであった。

しかも、万一そこから身元がばれてはいけないという用心から、隣の尼の家を休息所にすることとすらしないで、いずこからともなく現われるというような通いかたをしている。

女も、いったいこれはだれなのだか、心中まったく納得しがたい思いばかりで、源氏から到来する文の使者に尾行を付けてみたり、暁《あかつき》に帰っていくその道筋を探索させて、住み所を見つけようと躍起になっているのだが、しかし、源氏は注意深く尾行をまいてしまったりして尻尾《しっぽ》をつかませない。

そのくせ、そこまでしながら、やっぱり逢わずにはいられないほど、この夕顔の女のことが心にかかって離れないので、こんなふうにあらぬ姿に身を窶《やつ》して通うのは、自分の身としてはよろしからぬ軽率な振舞いだと反省を加えつつも、なお頻々《ひんぴん》と通わずにはいられないのであった。

こうした色恋沙汰《ざた》の方面は、よほどの堅物でもどうかすると惑乱することがあるのを、源氏は日頃さまで見苦しいことがないように、重々自制して、世間からの批判をうけるような怪しい振舞いはしなかったのであったが、ただこの夕顔の女ばかりは、自分でも理解しがたいほど夢中になってしまって、つい今朝ほど別れてきたばかりなのに、昼間逢わずにいるのがもどかしいほどの、恋の懊悩《おうのう》ぶりなのであった。

〈ああ、こんな狂気のようになって恋するほどの女だろうか、ほんとにそんなにまで没頭するほどの恋だろうか……〉と、源氏は、自分の気持ちを冷まそうと努力している。

〈しかし、あの女の様子は、ほんとうに呆れるほど柔和でおっとりした人がらで、決して思慮深いというわけには行かぬ、むしろそっちのほうはすこし見劣りがするくらいだ、……が、それでも、あんなふうにひどくあどけないくせに、しかし、男女の閨《ねや》ごとについては無知というのでもない、……いずれ、さまで身分の高い出自でもあるまいに、いったい自分は、この女のどこにここまで心惹《ひ》かれるのであろう……〉と、とつおいつ源氏は自問自答するのであった。

源氏は、いつもわざとらしく姿を窶して、装束とても、狩猟用の粗末な普段着に、それらしい持ち物など携行し、顔はちょっとでも見えぬように覆面をしている。しかも、すっかり人々が寝静まった深夜にならなければやって来ない、という昔の物語に出て来る三輪《みわ》の神さながら、いずれ妖怪変化《ようかいへんげ》かと疑われるような形《なり》で通うのであった。

女は、そのことを日々に嘆いて暮らしていたが、それでもこの通い人の様子も、また、手で触った感じも、そこらの男とは到底思えないところがあったので、〈さてもさても、この人はいったい誰なのであろうか、いずれにしても近ごろ出入りをしているあの男が手引きしたに違いないけれど〉と惟光を疑っている。しかし、惟光は強いてこれについては素知らぬ顔をして、まったく思いもかけぬことだといわぬばかり、そちらはそちらで怠りなく家中の女房との色事に励んでいるので、〈いったいぜんたいこれはいかなることであろうか〉と、女のほうでも、源氏とは違った意味で、また異常な物思いに駆られているのであった。

源氏は、思い続ける。

〈しかし、この女も、こんな風に何の心の隔てもないような懐《なつ》きかたで、こちらを油断させておいて、それで不意にどこかへ身を隠してしまったら、さて、どこに見当をつけて探したらいいものだろう。どうやらあの夕顔の家なども、女にとっては誰かから身を隠しているかりそめの家とも思える、……となれば、自分に対してでも、いつかふっと姿を消してしまわぬとも限らない〉、とそう思うにつけても、女の行方を追跡して、それでも見つけられなかったとき、まあいいやという程度に諦《あきら》めがつくなら、それっきりの遊びで終わりにしてしまえるのだが、とてもとてもそんな風には思えない。

あまり頻繁では人目に立つので、強いて通う間隔をとっている夜な夜ななどは、もう逢いたくて我慢ができず、胸が苦しくなるほどの執心ぶりで、〈いっそこんなふうに誰とも分からぬまま、二条の邸に連れてきてしまおうか、……もしこれが世間に漏れて噂にでもなれば、いかにも具合が悪いけれど、それはそのときのこと、前世からの巡り合わせであったに違いない〉とまで源氏は思い詰めている。〈我と我が心ながら、いつだって、こんなふうに一人の女に惚れ込むなんてことは、とんとなかったものを、いったいどんな前世からの約束があってのことであろうか〉などと源氏はあれこれ考える。

そしてとうとう源氏はこう女に誘いをかけた。

「なあ、どこか安心して過ごせるところに移って、のんびりと二人で語らいたいのだが、どうだろう」

女は警戒している。

「そんなことをおっしゃっても、やっぱり、はいそうですかとは申し難うございます。仰《おお》せはさることながら、じっさいには男女《おとこおんな》の仲としたら、とうてい普通の扱いをしてくださっているとも思えませんから、わたくしはなんだか怖くてなりません」

と、ひどく子どもっぽく言う。源氏は、それもそうだと思って微笑みながら、

「なるほど、私かそなたか、どちらかが狐《きつね》かなにかなのであろうね。でも、狐だとしても、どうかだまって化《ば》かされてはくださいませぬか」

といかにも優しい口調で言うので、女も、ずいぶん源氏の誘いに心を許して、そういうことでもいいかもしれない、と思うのであった。

〈この人は、どんなに偏頗《へんぱ》なことであっても、ただただこちらの言うことに従おうとする、その素直な心は、ほんとうにかわいい奴だ〉と源氏は思う。〈……もしかしてこの女はやっぱりあの頭中将の言っていた常夏の女であろうか……どうも疑わしいが、あの雨夜に中将が語って聞かせたくだんの女の性格がまず思い出される……けれども、仮にそうだとしたら、こんなふうに隠れているのはそれなりの理由があるのだろう〉と慮《おもんぱか》って、強いて詰問するようなことはしなかった。

じっさいに、源氏が見る限りでは、当面恨んだり拗《す》ねたりして、ふっと逃げ隠れてしまいそうな気配はまったくなさそうだった。

〈いやいや、もしこれで、私がめったと通って来なくなったりすれば、そのときは心変わりがするかもしれない、……こういうことを思うのは、我ながらどうかと思うけれど、恋というものは、夢中になっているなんてのはまだまだ浅いので、すこし通いの間《ま》を置いて、女が恨んだり拗ねたりするくらいのほうが味わいがあるものを……〉などということまで、源氏は思うのであった。

源氏、夕顔の宿に一夜を過ごす

八月《はづき》十五夜になった。

中秋の名月の皓々《こうこう》とした光が、夕顔の宿りの隙間だらけの粗末な板葺《ぶ》きの家の中まで漏れ入ってくる。そういう貧しい家居《いえい》のさまも、見慣れぬ風景としてめずらしく思われるのであった。

やがて暁近くなったのであろう。隣の家々から、賤《いや》しげな男の声で、もう目を覚まして、聞きなれぬことを言い合っているのが聞こえてくる。

「おお、寒いこっちゃのう。今年は、米のなり具合もどうも当てにならんことで、田舎へ買い付けに行くちゅうことも、とんとできんわなあ、これじゃ。心細いこっちゃな。おい、おーい、北のお隣さんよ、聞いとんのかいな」

ひどく貧しいそれぞれの活計《かっけい》の営みをば、早くも起き出して大声で怒鳴りあっているのが、こんなに間近に聞こえるというのも、女には恥ずかしくてならなかった。風流ぶってもったいをつけている女だったら、こんなありさまは、恥ずかしくて死にたくなるほどの、あさましい貧家の様相であったろう。

しかし、夕顔の女は、ただおっとりとして、辛いことも、心憂きことも、またきまりの悪いことも、とくに気に病むという様子もなく、ご本人の挙措動止《きよそどうし》はまことに貴族的に品よく、また子どもっぽくて、このとてつもなく騒がしい隣家の露骨な会話なども、いったい何を言っているのかろくに分からないという状態だったゆえに、なまじっかそういうことを知っての上で恥ずかしさに赤面したりする人に比べれば、いっそ罪のないように眺められた。

また隣家から、ゴロゴロ、ゴロゴロと、騒がしい音がする。雷《かみなり》よりうるさいこの音は、唐臼《からうす》というものを踏み轟《とどろ》かして米など搗《つ》いているのであるが、それがしかも、すぐ枕《まくら》のわきでやっているように近々と聞こえる。

さすがに源氏も、この音ばかりは、〈やかましいなぁ……〉、と閉口するのであった。ただ、それが何の音なのかまでは源氏には分からない。単に訳の分からない、騒々しい音と聞いたに過ぎなかった。

その他、いちいち書くに及ばぬ、ごたごたしたことばかり多かった。

どこで打つのか、コーン、コーンと砧《きぬた》で白栲《しろたえ》の布を打つ音がかすかに耳に届き、空高く渡ってくる雁《かり》の群れが、コウコウと鳴きかわしてゆく声も聞こえて、秋はかれこれ堪《た》え難く物淋《さび》しいことばかりが多いのであった。

源氏の宿っている部屋は、外に面した一間だったので、引戸を開けて、二人で外を眺めた。

庭というほどの庭もないが、そこに一風情ある呉竹《くれたけ》など植えおき、また植え込みに置いた朝露は、こんな貧家でも宮中と同じようにきらめいている。虫の声もとりどりに鳴き乱れ、日頃は壁の内に鳴く蟋蟀《こおろぎ》すらはるか遠くに聞き馴《な》れている源氏の耳には、まるですぐ耳の側に突きつけられているようにうるさく鳴き乱れて、しかし、これもまた却《かえ》って珍しい趣向だと思ったりするのだった。夕顔への愛情が浅からぬゆえに、それもこれも、みな見許してしまうようであった。

夕顔は、白い袷《あわせ》に、薄紫のしんなりとした上着を重ねて、いっそ地味な出で立ちであるが、それを源氏は、たいそうかわいらしい、また弱々しいというように感じた。容姿は、どこといって優れているということもないのだが、ただ、ほっそりとたおやかで、また物を言う様子なども、ああ、いじらしいなぁ、ただただかわいらしいなぁ、と源氏は思うのであった。

〈これで、もう少しすっくりと気取ったところがあったら、理想に近いのだが……〉と源氏は思い、なおもっと気兼ねなく睦《むつ》みあいたいと思ったので、

「どうだろう、この近くに良いところがあるのだけれど、そこで気兼ねなく夜を明かさないか。こんな窮屈なところでばかり逢瀬をしているのでは、嫌《いや》になってしまうからね」

と源氏は提案する。

「滅相もございません。そんなこと……急に仰せになりましても……」

夕顔は、ひとまず拒んだが、その口調はいかにもおっとりとしていて、絶対だめという様子でもない。源氏は、現世ばかりではない、来世までも一緒にいたいというようなことを約束して熱心に口説き、また女に信頼させるように言葉を尽くした。すると、やがて女の心はまるで氷が溶けるように親しみ寄る気配がある。その変わりようは、こういうことに物慣れた女たちとはまったく違って、いかにもうぶな様子なのである。されば、源氏は、周囲の人々がどう思うかというところまで気にかける余裕もなく、さっそくに夕顔の近侍の女房右近を呼び出し、また自らの随身を召し寄せ、縁側まで車を横付けさせる。

この家で仕えている女房たちも、ここまで熱心な源氏の心を見届けた以上は、なんだか

よく分からぬ不安は残っているものの、この殿を頼っておけばよさそうだと思うのであった。

明け方もちかくなった。時を作る鶏の声などは聞こえず、吉野山《よしのやま》修行に備えた精進潔斎《しょうじんけっさい》でもしているのであろうか、ばかに老人くさい嗄《しわが》れ声で仏に額《ぬか》ずいているのが筒抜けに聞こえてくる。立ったり座ったりして、ひたすら五体投地でもするらしい様子が、いかにも苦しそうである。源氏は、これを聞いて、〈この世はどうせ朝露のように儚《はかな》いものなのに、なんだってまた、あのように必死に祈っているのであろうか〉と思う。なお聞いていると、

「南無《なも》当来導師《とうらいどうし》」

などと唱えて弥勒菩薩を拝んでいる様子である。

「ほら、お聞き。あの隣の家の翁《おきな》も、やっぱり来世を祈ることがあるらしい」

と気の毒がって、源氏は歌を詠んだ。

優婆塞《うばそく》が行《おこな》ふ道をしるべにて

来《こ》む世《よ》も深き契り違《たが》ふな

ほら、あの修行者の勤行《ごんぎょう》している仏の道、あれを案内役として、
今生《こんじょう》ばかりか来世も、二人の契りを違《たが》えないでおくれ

かの白楽天《はくらくてん》の長恨歌《ちょうごんか》に謳《うた》われている楊貴妃《ようきひ》と玄宗《げんそう》の故事など縁起でもないゆえ、生まれ変わったら比翼《ひよく》の鳥になろうなどと言う代わりに、源氏は弥勒《みろく》出世の来世までも、深い契りを結ぼうとまで約束してみせる。これはまたずいぶんと遥《はる》かの未来までの約束など、いかにも大げさなことに思われる。

前《さき》の世の契り知らるる身の憂さに

ゆくすゑかねて頼みがたさよ

前世の因縁が悪くてこんな辛い身の上になっておりますのを承知しておりますわたくしには、
来世までかけてのお約束などとても頼みにはできにくいことでございます

夕顔はこんな歌を詠んで返したが、その内容なども、今から思えば、心細いことであった。

源氏と夕顔「なにがしの院」へ

沈みがたく西の空を彷徨《さまよ》っている月のように、どことも知れぬところへ思いがけず迷い出ることを、女は思い躊躇《ためら》い、なかなか出るのを承知しないので、源氏は、なんとかして説得しようと、あれこれ言葉を尽くしてかきくどく。そのうちに、空には雲が出てきて月を隠し、しだいに東の空が明るんでくるのは、いかにも風情がある。

とはいえ、あまり露骨に人目に立つほど明るくならぬ前にと、いつものごとく忙《せわ》しなく出立《しゅったつ》して、ひらりと軽やかに女を車に乗せると、お付きの女房右近も乗りこんだ。

五条からはほど近い、なにがしの院というところへ着いた。管理人を呼びにやって、しばらくその門外から内部を見渡してみると、荒れ果てた門のあたりにも忍ぶ草という名前もゆかしいシダのたぐいが鬱蒼《うっそう》と生い茂っているのが見上げられる。木々も野放図に茂りあって、喩《たと》えようもなく真っ暗に荒れている。霧の深く立ちこめているなかを、牛車の簾《すだれ》を手ずから源氏は持ち上げて見ているので、その袖も朝露や霧雨にすっかり濡れそぼってしまった。
「こんな時間に、こんな人と、こんなところへ来るなどということは、いまだしたこともないのだけれど、なんともはや、気苦労なことなのだね。
いにしへもかくやは人のまどひけむ
わがまだ知らぬしののめの道
物語などに出て来るいにしえ人たちも、こんなふうに濡れ惑うたのであろうか。
私はいまだ経験もしたことのない、明け方の道行きだな
あなたは、こんなご経験がおありか」
そう源氏が訊ねかけると、女は、恥ずかしそうに、
「山の端《は》の心も知らでゆく月は
うはの空にて影や絶《た》えなむ
どの山の端に沈むのかも知らず、彷徨っている月は、
きっとそのまま空の上で光が消えてしまうでしょう。わたくしも、どこへ行くのかも、
またどんな山の端なのかも知らずにあなたさまについてきてしまったのですから、

もしやこのままぼんやりと上の空のまま、どこかへ消えてしまうかもしれません

たいそう心細いことでございます」

などと、なんだか恐ろしくぞっとする思いでいるらしいのを見て、源氏は、〈ははぁ、さては、あの人気《ひとけ》も多く立て込んだ五条の家に住み馴れているので、こんなところは怖がるのであろうな〉と、可笑《おか》しくおもうのであった。

やがて、門内に車を乗り入れさせて、西の対に、居所《きょしょ》をしつらえる間、牛車の長柄《ながえ》を縁側の欄干に立て掛けさせて待った。右近は、大きな御殿についたらしいので、はや華《はな》やいだ思いを抱いては、かつての夕顔と頭中将の恋のことなど、人知れず思い出していた。そうして、預かりの役人が、額に汗して世話をやいて回る様子を見ていると、この男君がなみなみならぬ身分の方であることが判ってきた。かかる皇室の持ち物らしい大きな御殿を自由に出来るとあれば、さては光源氏でもあろうかと、右近には、おおかた見当がついた。

朝になって、ほのぼのとあたりが見え渡るころに、源氏と夕顔は、車を降りて御殿に入ったようであった。急ごしらえにしてはずいぶんこざっぱりと室内を調《ととの》えてある。

「あれあれ、どうしたことでございましょう。ちゃんとした供人もご随行申しておりませんなあ。はなはだけしからぬことでございます」

など、この預かりの役人は、日頃から、二条の邸で親しく召し使っている家来でもあるので、こんなことを言うのである。やがてお側近くまで参って、

「今から、お供に、然るべき者を呼び寄せましょうか」

などと言って、右近に取り次がせる。

「いや、それには及ばぬ。あえて人の来ない隠れ家を求めてここに来たのだ。だから、私たちがここにいることは、お前の胸一つに納めて、決して決して口外するのでないぞ、よいな」

と、源氏は固く口止めをさせた。

それから朝食に、お粥《かゆ》などを作らせて、いそぎ差し上げようとするけれども、なにぶん急なことで、配膳《はいぜん》の者も整わず、なにかと不調法《ぶちようほう》なことばかりであった。源氏としては「まだ経験もしたことのない」旅寝なのであってみれば、せめて、あの、「鳰鳥《にほどり》の息長川《おきながかわ》は絶えぬとも君に語らふこと尽きめやも（鳰鳥がいつまでも水中に潜《もぐ》っているように、息長く流れているという息長川、その息長い川の水が絶えてしまうことがあろうとも、あなたと睦まじく語らう

ことは尽きることがありますまい〉」という古い歌などを引き合いにして、二人の逢瀬がいつまでも続くようにと約束するほかはないのであった。

日が高くさし上るころ、源氏は起き上がって、格子戸を自ら手ずから引き上げ、庭のありさまを眺めやった。

庭はひどく荒れ果てて、人気《ひとけ》もなくがらんとした感じに見渡され、木立は鬱蒼と気味悪く茂りあっている。またすぐ近くの植え込みなどは、ことさら見どころもなく、まったく秋の荒れ野のように草茫々《ぼうぼう》になってしまっている。池も水草の茂るにまかせている。

〈……やれやれ、これはまたずいぶんと薄気味悪くなってしまったことだな……〉と源氏は思う。

別棟のほうに、部屋を作って預かりの役人一家が住んでいるはずなのだが、そこはここからはよほど離れている。

「気味悪く荒れてしまったものですね。それでも、どんな鬼が住んでいたとしても、ほかならぬ私たちばかりは、見逃してくれるでありましょう」

などと源氏は、強いて興《きよう》がって見せた。

ここでもまだ源氏は覆面をしたままで、顔を顕《あらわ》さないので、夕顔は、〈どうしてこの方は、いつまでもお顔を見せてくださらないのだろう、水臭いこと〉と思っている。源氏も、〈さすがにこんな深い仲になってまで、顔をすら見せずに心の隔てを置いているのは、やはり不自然なことにちがいない〉と思って、覆面を脱ぎながら、一首の歌を詠みかけた。

「夕露《ゆふつゆ》に紐《ひも》とく花は
玉鉾《たまぼこ》のたよりに見えし縁《え》にこそありけれ

あの日、夕露に紐を解いて咲き初めた花。
あれこそが頼りにできる私たちの縁《えにし》でありましたね。
……いまあの時の花のように、紐を解いて顔をお見せしましょう

あの時、『露の光……』とあなたは扇に書いて下さったが、その露の光のような私の顔はいかがですか」

そう言われて、夕顔は源氏の顔を見てみたいけれど、まさか振り向いて露骨にじろじろ見るというようなはしたないこともできない。せめて横目を使って、ちらりと見てから、

「光ありと見し夕顔のうは露は
たそかれどきのそら目なりけり

あの夕顔の花に置いていた露の光、ああ輝いていたなあと思ったのは、
たそがれどきゆえのとんだ見損ないでございました」

と、消え入りそうな声で歌い返した。

源氏は、〈露の光がとんだ見損ないであったとは、どういう訳のわからない返し方であろう。顔が大した事はないというのか、それとも、あのときの見方では不十分でした、お見《み》逸《そ》れしました、とでもいうのであろうか〉と、内心不可解に思ったけれど、〈それでもまあ、とっさのことでもあり、こんな不出来な歌でも良いことにしよう〉と、強いて思うことにした。

誰にも知られぬところで、ゆったりとうちくつろいでいる源氏の様子は、まさに世に比類のない美しさであったけれど、こんな魑魅魍魎《ちみもうりょう》の出そうな荒れ邸《やしき》であってみれば、こうも美しいのは、もしや魅入られはすまいかと、不吉な感じさえするのであった。

「そうして心に隔てを置いて、いつまでもお名前を教えて下さらないのだね、そなたは。

そのことが辛く思われて、私も顔を見せぬことにしようと思っていたのだけれど……。こうして私が顔を見せたのだから、今からでも、どうぞ名乗ってはくれまいか。そうやっていつまでもほんとうのことを明かさないのは、もしや狐ではあるまいかと、いっそ不気味な感じさえしてくるからね」

源氏はこういって、名を訊ねるけれど、女は、

「とるに足りない海士《あま》の子でございますもの」

といい紛《まぎ》らして、やっぱり心を明かそうとしない。その様子は、しかし、どこか愛嬌《あいきょう》があるのであった。

「よしよし、それもこれも、あの、『海士の刈《か》る藻に住む虫のわれからとねをこそ泣かめ世をば怨《うら》みじ（海士の刈る海藻に住む虫のワレカラ——海中の藻に棲む節足動物、割殻《ワレカラ》——、そのワレカラではないけれど、我から声を上げて泣くことにしておこうよ。世を怨むことはせずに）』という古歌に言うように、お前がそうやって名前を教えてさえくれないのは、自分の身から出た錆《さび》だと思って、もっぱら私が泣いていることにしようかね」

などと、源氏が恨みごとを言ってみたり、そうかと思うと二人優しく睦まじく語り合ったりして、一日があっという間に暮れていった。

惟光はようよう源氏の居所《いどころ》を突き止めて、果物などを持ってやってきた。しかし、ここへこうして惟光が顔を出したのでは、夕顔と源氏の逢瀬を手引きしたのは、やっぱりあの惟光であったかと、右近が文句をいいそうに思われて、それも面倒なので、その果物は取り次ぎの者を通じて差し上げることにし、直接源氏の側にはまかり出ることができずにいる。それにしても、こんな荒れ邸に連れ込むことまでしようという源氏の執着ぶりが、惟光には、面白いことにも思われ、また〈あの夕顔という女は、そういうことがあってもおかしくないような魅力的な女に違いあるまい〉と色好みらしく想像を巡らしては、〈しかしなあ、あれでなにも源氏さまに引き合わせなどせずに、俺が自分でいただいちまうということだってできたものを、源氏さまにお譲りしたとは、我ながら、心の広い男よなあ〉などと、不埒《ふらち》なることを思っている。

喩《たと》えようもなく静かな夕方の空を源氏は眺めている。

女が、この荒れ邸の奥のほうは真っ暗で怖い感じがするというので、まだいくぶん明るさの残った廂の間《ひさしのま》の一番外側のところで、御簾を巻き上げたまま、二人で添い臥《ぶ》しをしていた。

わずかに消え残った西空の明るみを見交わして、女も、いまこうしていること自体、ほんとに思い掛けないことだし、なにか納得できないような気持ちでもあるのだが、そういうあれこれの嘆きをひとまず忘れて、すこしは気を許して打ち解けていく気配は、いかにもかわいらしいのであった。

こうして一緒にいる間じゅう、夕顔は源氏にぴったりと寄り添って、どこか怖がっているような様子は、まだ子どもっぽい感じがして、いっそいじらしくもある。

やがて外がすっかり暗くなってくると、上げてあった格子戸を早めに下ろし、灯明台《とうみょうだい》に火を灯《とも》して、また源氏は、

「もうどこからどこまで深い仲になったというのに、それでも相変わらず心のうちの隔てを取り払ってくれないのは、ほんとうに私には辛い……」

などと、恨みごとを蒸し返すのであった。

〈それにしても、突然姿を消したようになっているから、内裏では陛下がどんなにお探しになっておられるだろう、今ごろは、帝《みかど》のお使いが、どのあたりを探索しまわっていることだろうか〉と帝のお気持ちに思いをいたし、また〈自分の心ながら、じっさい訳がわからぬ。六条のあの御方《おんかた》も、これではどれほど懊悩《おうのう》しておいでか、きっとお辛いことであろ

うし、どんなに恨みごとを言われても、道理だと思わなくてはなるまいな〉などと、あの気の毒な六条の御方について、まず真っ先に思いやるのであった。それに比べたら、このおっとりと差し向かいでいる女は、ほんとうにかわいらしくて、魅力があるなと思うにつけても、あの六条の御方のお人柄から、少しだけ、思慮深すぎて重苦しいところをなくしてもらいたいものだと、源氏はかれこれ思い比べてもいる。

その夜、女の怨霊出現す

宵を少し過ぎたころであった。

源氏が、うとうとと少しまどろんだとき、枕のところに、たいそう美しげな女が座っていて、

「わたくしが、とても素晴らしいお方だとお慕《した》いもうしておりますのに、そのわたくしのことは思いをかけても下さらないで、こんなどうということもないような女を連れておいでになってご寵愛《ちようあい》なさるなんて、ほんとうに恨めしく不愉快でございます」

と言いざま、源氏の脇に寝ている夕顔を、つかみ起こそうとする、……というところを

ありありと夢に見た。

源氏は、悪霊に襲われたような気持ちがして、目覚めてみると、さっきまで灯っていたはずの火が、すっかり消えて、あたりは漆黒の闇《やみ》であった。嫌な気持ちがして、源氏は枕元に置いておいた太刀を引き抜き、魔よけとしてそこにそっと置いてから、近くに寝ているはずの右近を起こした。右近も、恐ろしく思っている様子で、さっそく近くにやってきた。

「渡殿《わたどの》のあたりに宿直《とのい》の者がいるから、紙燭《しそく》に火を灯して持ってまいれと伝えよ」

と右近に命じるけれど、

「とてもとても、怖くてまいれません。こんなに真っ暗ですもの」

とて、まったく動けない。

「なんだ、子どもじゃあるまいし」

と源氏は無理に笑ってみせ、奥の者を呼ぼうと手を叩《たた》いた。すると、誰も応《こた》える様子はなく、ただ木霊《こだま》のようなものが戻ってきたばかりで、ますます気味が悪い。呼べども叫べども、誰も聞きつけてやって来る様子はなく、その間《あいだ》に、夕顔は、ひどくふるえわななき、怯《おび》えて、どうにもこうにも前後を弁《わきま》えぬ様子となり、汗びっしょりになって、正気を失っている。

「なにぶん、ひどくものに怯《おび》えるご性格でございまして、こんなことがありましては、どんなに怖がっておいででございましょう……」

右近は、せめてそう打ち明ける。

〈そうであった、そう言われてみれば、なんだかひどくか弱い性格で、昼間も奥のほうは暗くて怖いとか言って、空ばかり見上げていたものな。かわいそうなことをした〉と源氏は思った。

「しかたない、私が自分で人を起こしてくるとしよう。手をたたけば答えるのは木霊ばかりだし、面倒だから、自分で行ってくるぞ。お前はここで女君をお守りして待っておれ」と言って、恐怖で動けなくなっている右近を力任せに夕顔の脇まで引き寄せ、それから西の開き戸口のところに出、ぐっと戸を押し開けると、渡殿の……火も消えていた。

風がすこし吹いている。宿直の者は少なくて、しかも全員寝てしまっている。この邸の預かりの役人の子で、源氏がいつも親しく召し使っている若者と、もう一人殿上童《てんじょうわらわ》、それからいつも随従している随身、そこにいるのはたったそれだけであった。

渡殿に出て源氏は、声を励まして皆の者を呼び上げると、預かりの役人の息子が、返事と共に、まっさきに起きてきた。源氏は矢継ぎ早に命じる。

「よいか、まずは紙燭に火を灯してまいれ。それから随身も魔よけに弓弦《ゆづる》を打ち鳴らして、同時に絶えず警戒の声を上げよ、と命ぜよ。こんな人気《ひとけ》もないところで、安心して寝ているやつがあるものか。惟光もさきほど来ていたようだったが、どこに行ったか」

「たしかにさきほどまで侍《はべ》っておりましたが、『別段に何のご用もなさそうだから、暁にお迎えに参りますとお伝えしておいてくれ』、と言って退出いたしましてございます」

この預かりの役人の息子という者は、もともと滝口武者《たきぐちのむしゃ》なので、弓弦を打ち鳴らすのは、手慣れたもの、ビーーン、ビーーンと高らかに打ち鳴らして、「火の用心」などと言いながら、預かり役人の住まいのほうへ遠ざかっていくようであった。

源氏は内裏を思いやる。〈……ああ、今ごろ内裏では、宿直《とのい》の者が名乗りを上げて出勤時の引き継ぎなどしているころであろう。それから、滝口の武者所の宿直奏《とのいもうし》で、みな大声で名乗りなどしていることであろう……〉と想像される、そんな時分であったのだから、夜はまだそう更けてもいないのである。

部屋の内に戻ってきて手探りしてみると、夕顔はさっきのままに臥《ふ》して、右近もその傍《かたわ》らにうつ臥していた。

「右近、これは何事だ。ああ、なんという馬鹿げた怖がりようだ。こういう荒れた邸には、狐とかいうような変化《へんげ》のものが、人を驚かそうとして、ああいう気味の悪いことをすることがあるのだろうよ。ここに私がいるじゃないか。そんな妙なものに脅《おど》されたりはすまいぞ」

と、励ましながら、右近を引き起こした。

「もうもう、だんだん気分が悪くなりますので、こうしてうつ臥しておりました。女君さまのほうが、もっとお辛くていらっしゃいましょう」

右近はひたすら怯えている。

「それはそうかもしれぬ。どうしていったい、こんなことに……」

そう言いざま、源氏が夕顔を手探りしてみると、ややっ、息をしていない……。揺り動かしてみるが、ただただもう力も抜けてしまっていて、意識もない。

〈……さては、この人はひどく心幼いところがあったから、それで、そういう魑魅《ちみ》魍魎《もうりょう》のようなものに魅入られてしまったのか……〉と、源氏はいかんともしがたいという思いに駆られるのであった。

紙燭が運ばれてきた。

右近も依然として身動きできぬありさまなので、源氏は、身近にあった几帳を引き寄せて夕顔の体を隠すと、紙燭を持ってきた預かり役人の息子に向かって言った。

「かまわぬ、そんなところに控えておらずと、ここまで直接に持ってまいれ」

しかし、源氏の側近くまで推参《すいさん》するなど、いまだかつてなかったことゆえ、息子は、廂の間の長押《なげし》のところまでも近寄ることができないでいた。

「いいから、ここまで直接に持ってまいれ。遠慮も事と場合によるぞ」源氏は声を励まして命じた。

紙燭を手元に引き寄せて見ると、まさにその夕顔の臥せっている床の枕上《まくらがみ》に、夢に見えたのとそっくり同じ女の姿が、幻のように浮かんで見え、ふっと消えた。

〈昔物語などには、こんなことを聞いたこともあるが、まさか現実に……〉と源氏は、ひどく奇っ怪で気味の悪いことだと思う。それにしても、まずは、この女がどうなってしまったのかと、恐ろしい胸騒《むなさわ》ぎがして、もはや自分自身のことも意識にはなくなっている。

夕顔の体の脇に添い臥しして、

「おいっ、おいおいっ」

と目を覚まそうと揺り動かしてみるけれど、その体はしだいに冷えに冷えて、息はもうとっくに絶え果てているのであった。もはやこうなっては、どうにもならぬ。

いま、こんなところにいては、こうしたときに頼るべき人とてなく、どうしたらいいか相談する相手もいない。こんな場合には徳高い僧侶《そうりよ》などが、頼もしく力になってくれそうに思うのだが……。さきほどは強がって見せたものの、実際には、まだ若くて分別も十分でない源氏は、女がこんな風になってしまったのを見ると、どうしたらいいのか、途方に暮れてしまった。

源氏は、夕顔の亡骸《なきがら》をひしと抱いて、

「ああ、生き返って、お願いだ、僕をこんなひどい目に遭わせないでくれ、なあ」

と叫んだけれど、体はすっかり冷たくなってしまっているし、だんだんと気味の悪い死の様相も現われてくる。右近は、ただ恐ろしいと思うだけの状態から、はっと我に返って、主人の急死に泣きわめくばかりで、手が付けられない。昔、宮中南殿《なんでん》の鬼が何とかいう大臣を脅《おびや》かしたという故事なども思い出して、源氏は却って気を強く持った。

「右近、落ち着け。このままほんとうに空《むな》しくなってしまうとも限るまい。静かにいたせ、夜の声はおどろおどろしく響くぞ。ともかく静かにいたせ」

と右近を戒《いまし》める。が、あまりにも突然のことで、源氏自身もただ呆然《ぼうぜん》たる思いでいる。

やがて、気を取り直すと、源氏は、預かりの息子を呼んで、言った。

「よいか、よく聞け。ここに、ひどくおかしなことが起こってな、この人が、なにやら悪霊に襲われたようで苦しんでいるのだ。だから、今すぐに、惟光の家まで行って、急いで参るように言えと、そこにいる随身に伝えよ。もしかすると、その惟光のところには、兄の、なにがしという阿闍梨《あざり》もいるかもしれないから、もしいたら、すぐにここに来てくれるように、密《ひそ》かに伝えるのだ。ことはくれぐれも内密を要するぞ。万一、あの尼君などが聞いたら大変なことになるから、くれぐれも大声で言ったりするでないぞ。あの尼君という人は、こんな忍び歩きを許さない厳しい人なのだからな」

と、夢中であれこれ話している。けれども、内心胸が塞《ふさ》がっていて、この女を死なせてしまったことが、堪《た》え難く思えるばかりでなく、死体を取り巻く不気味な空気は、喩えようもなく恐ろしい。

夜中も過ぎたのであろう。風がきゅうに強く吹き出した。まして、松の枝を吹く風の音は急に深い森のなかのように響き、その闇のなかから、怪しげな鳥の嗄《しわが》れ声が聞こえてくる。白楽天の詩に「梟《ふくろふ》 松桂《しようけい》の枝に鳴く」と歌われた梟という鳥は、もしやこれであろうかと思われた。

源氏は、この状況のなか、必死に思い巡らしている。

〈どこもかしこも、ここはひどく気味悪い場所で、人の声もしない、どうしてまた、こんな恐ろしいところに宿りをしたものであったろうか……〉、と後悔するけれども、どうにもならぬ。

右近は、まるで茫然自失状態で、源氏にひしと取り付き、わなわなと震えるありさまは今にも気絶しそうに見える。やれやれ、これもどうしたものであろうと、源氏は夢中でこの右近の体を支えていた。このひどい状態のなかで、源氏一人だけが正気でいて、しかし、どうしたらいいかと途方にくれているのだった。

やっと灯した灯火は、にわかに揺れ動き、母屋の端のところに立てた屏風《びょうぶ》の上あたり、またあちらこちらの隅の光の届かないところがいっそう暗く感じられる。それだにあるに、なにやら、怪しい足音のようなものが、みしみしと床を踏み鳴らして、奥のほうからやって来るような気がする。

〈惟光、早く来てくれ！〉

源氏は悲鳴を上げたいような気持ちでいる。しかし、惟光はどこの女のところへ泊まっているのだか、随身はあちこち尋ね歩くけれども探し当たらない。

こうして、気味の悪い一夜が明けて朝がくるまでの時間は、まるで昔の物語に「秋の夜の千夜《ちよ》を一夜《ひとよ》になせりとも言葉のこりて鶏や鳴きなむ（恋しい人と過ごす時は、秋の長夜を千回重ねて一夜にしたとしても、なお語るべき睦言は尽きせぬうちに夜明けの鶏が鳴いてしまうであろう）」とあったその、秋の千夜を一夜に過ごしたような心地さえしたほど長く感じられたことであった。

やっと鶏の声がはるかに聞こえてきた。

〈なんだってまた、命までも賭《か》けて、こんな目にあわなくてはいけないのだろう。これはいったいどういう因縁なのであろうか〉と、それにつけても、またふと藤壺《ふじつぼ》とのただならぬ関係のことを思い出す源氏であった。我とわが心ながら、恋の道のことでは、身分不相応な、しかもあってはならないような欲望の報《むく》いとして、ついには、いま目前に起こっているような、古今の語り草になりかねないような事件まで起こしてしまったのかもしれない、と源氏は思う。

〈……それにしても、こんな事件は、どんなに隠しても、事実として起こってしまった以上は隠しおおせるとも思えない。されば、やがて父帝の上聞《じようぶん》にも達することはむろんのこと、世の中の人々も面白がって言いそやすであろうし、果てはそこらの下らない若者どもの噂話の種にまでなるかもしれない、そうしてついには、源氏というのは、とんだ愚か者だという評判を立てられるに至るだろう……〉と、源氏は、とつおいつ思い巡らすのであった。

惟光の事後処置

やっとのことで、惟光がやって来た。いつもだったら、夜中といわず暁といわず、四六時中自分の意のままに働いてくれるはずの者が、今夜に限ってまた、伺候《しこう》もせず、呼んでもなかなかやって来なかったことを、憎らしく思ったものの、せっかく来てくれたのだから、さっそく近く召し寄せて、ことの次第を話そうと思うけれど、思えばあまりにも情ないことで、にわかには言葉にならない。

右近はまた、惟光が参上した気配を聞くと、そもそもあの惟光が関与してこうなったのだと、五条の家でのあれこれが思い出されて、また悲しみを新たにして泣きじゃくる。これには源氏も困り果てて、ただひたすら気をしっかりと張って右近の体を抱きながら、我慢していた。しかし、惟光が来てくれたのでほっと安堵《あんど》すると、にわかに悲しいことばかりが源氏の胸に迫ってきた。そうして、しばしは堪《こら》え切れず、ひたすら泣きに泣いて、涙が止まらなかった。

ややあって、ようやく少し涙を押さえると、

「惟光、じつはここに、ほんとうに何が何だかわからないような奇怪な事件が出来《しゅったい》したのだ。それはもう、驚いたなどという程度のことではない。……かくかくしかじかの訳なのだが、こんな緊急非常のことに対しては、誦経《ずきょう》などを執行《しゅぎょう》するのがいいと思うので、さっそくそのことをお願いしたいし、また願文《がんもん》なども立てて欲しいから、お前の兄の阿闍梨に、すぐこちらへ来てくれるように、さきほど使いの者を遣わしたのだが、どうしたろうか」

と打ち明けた。惟光は答える。

「じつは、兄阿闍梨は、あいにくと、昨日比叡山《ひえいざん》へ帰ってしまいまして……。それにしても、まことに希有《けう》なことでございますなあ。こんなことになったについては、もしや、なにかこう前兆とでもいうような体の不調のようなことがございましたのですか」

「いや、まったくそんなことはなかったのだ」

と、源氏はまたも泣く。その様子も、いかにも美しくいじらしく、見ている惟光もすっかり悲しくなって、声を上げてもらい泣きをしてしまった。

こういう場合には、なんと言っても、年長《た》けて人生経験も豊富で、こんな事件だとて世の中にはないでもないことと分別できるような人が頼もしいものだが、あいにくと、源氏も惟光も若者同士で、さしあたってどうしたらいいか思い付かない。惟光が言った。

「ともかく、ここの預かりの役人に話すのは、なにしろまずいと思います。その人ひとりだけならば、親しい間柄でそれなりに口固めもできましょうが、ついつい口を滑らせてしまう眷族《けんぞく》なども周囲にはおりましょうから、秘密がそこから漏れるかもしれません。……となると、まずは源氏さま、なにはともあれ、この院からお立ち退《の》きください」

「といって、惟光、ここより人目に立たないところなどあるものだろうか」

「そう……それはそうでございますなあ。まさか、あの五条の家などに女君の亡骸など運び込もうものなら、女房どもが悲しみに堪えずして、泣きわめいたりいたしましょうから、隣近所ごたごたした所とて、聞きとがめる人も多く、自然噂にもなりましょうしね。さよう、どこぞの山寺などであれば、亡骸を運び込むというようなこともままあることでしょうし、そんなに目立つということなく、処置ができますまいか」

　そんなことを言ってから、惟光は、あそこかここかと、心当たりの山寺を思い回してみた。

「あ、さようでございます……えーと、わたくしが昔から知っております女人が、尼になっております寺が東山《ひがしやま》のあたりにございますので、そちらに持ってまいりましょう。この尼は、わたくしの父の乳母《めのと》であった者ですが、いまはすっかり老いかがまってその山寺に住んでおりますのでございまして……、そのあたりは若干人気《ひとけ》もございますが、まことに物陰になっているような隠れ所で……」

と言うので、さよう取り計らうべしということになり、夜明けのどさくさに紛れて亡骸を運び出すために源氏の車を横付けにした。

悲しみにくれる源氏には、この人の亡骸を抱き上げることなどとうていできないので、閨の敷物にくるんで惟光が抱いて車に乗せようとした。抱き上げてみると、まことに小柄で、死人の気味悪い感じなどもなく、まるで生きているようにかわいい顔をしている。亡骸をしっかり包むということもできなかったために、その包みのはざまから、サラサラとした黒髪がこぼれ出ている。それを見るにつけても、源氏は涙にくれて心惑いし、たまらなく悲しいと思い、この女の行く末を最後まで見届けたいと願ったけれど、

「源氏さま、すぐにこの馬に召して、二条のお邸までお帰りくださいさい。人目が騒がしくなるといけませせぬゆえ」

と急がせるので、車には女の亡骸と右近ばかりを乗せ、惟光自身は徒歩で、これに随行して行くことにした。源氏は指貫《さしぬき》の紐《ひも》をくくり上げなどして急ぎ馬を走らせる。こんなふうに、散り散りになって野辺の送りに赴くというのも、まったく覚えのないことであったが、源氏の悲しみが尋常でないのを見ては、なんとしても身を捨ててご奉公せねばと惟光は思って、東山に向かった。いっぽうの源氏は、途中なにをどう考えることもできず、ただ呆然として馬を走らせ、二条の邸に帰り着いた。

迎えた二条邸の人々は、

「はてさて、どこからお戻りになったのでございますか」

「なにかひどくお具合がよくないように拝見いたしますが」

などと口々に言うけれど、源氏は、帰着するや、ただちに几帳のうちに入ってしまった。

いま改めて苦しい胸を抑えてつらつらと思い巡らすに、またこの別れが無上に悲しく思えて、

〈ああ、どうしてあの車に、いっしょに乗っていかなかったものであろう。万一、万々一

にも、あの化物屋敷を出て息を吹き返したりしたら、そのときあの人はどう思うだろう。自分がこんな目に遭《あ》っているのに、知らん顔で見捨てて帰ってしまったのかと、さぞ辛い思いをするだろう〉と、惑乱した心の中にもそんなことを考えると、胸が突き上げられる心地がする。頭は割れるように痛み、熱さえも出てきたようで、その苦しいことはいわんかたもない。

〈これでは、自分もこのまま死んでしまうかもしれないな〉とまで、源氏は思うのであった。

日が高くなっても、源氏がいっこうに起きてこないので、女房たちは不思議に思って、お粥など勧めてみるが、ともかく苦しいばかりで、死にそうな心細さを源氏は覚える。

そこへ、内裏の父帝から勅使が至った。

昨日、行方知れずになっていた源氏をあちこち探索したけれども尋ね当たらなかったことを、ご心配くださっているのであった。

勅使には、頭中将はじめ左大臣家の若君たちがやってきたが、そのなかで、ただ頭中将だけを、

「立ったままで、こちらへお入りください」

とそんなふうに指名して、源氏は、御簾《みす》ごしにこんなことを話した。

「実は、私の乳母に当たる者が、この五月《さつき》ごろから重病になりましてね、頭を剃《そ》って受戒《じゅかい》などしたところ、どうやらその験《しるし》があっていくらかよくなったのですが、それがまたこのごろになって再発し、すっかり衰弱してしまい、どうしてももう一度だけ見舞ってくれなどと申しますもので、なにしろ幼い頃から、ずいぶん馴染《なじ》んだ者ですから、今はの際《きわ》になって行ってやらないのも、さぞ悲しく思うだろうと思いましてね、それで、行ってきたのです。ところが、その家の下働きのなにがしというものが、これまた重病になっていたのですが、折悪《あ》しく病状が急変して、家の外に出ることもできぬまま死んでしまいました。たまたま私が行っていた折で、その穢《けが》れがつくことを憚って、日暮れになってから密かに亡骸を運び出すというのであれこれやっていたらしいのですが、私の耳にそれが聞こえてしまいました。たまたま、また折悪しく、伊勢《いせ》神宮神嘗祭《じんぐうかんなめさい》の時節ですから、私もかかる穢れに触れてしまった以上、遠慮して参内《さんだい》しなかったというわけです。ところが、この暁から風邪でもひいたのでしょうか、咳《せき》が出て頭も痛いし、ひどく苦しいので、こんなかたちでご無礼をいたしますが……」

と言う。頭中将は、

「いやいや、それなら、その旨を帝に申し上げましょう。昨夜も管弦の御遊《おおんあそ》びがあって、ずいぶんと源氏さまをお探しになっておられるとかで、かなりご機嫌よろしからずというところでしたよ」

そう言いながら、さて、帰ろうとしてまた引き返してくると、

「はてさて、ほんとはどんな穢れに触れられたものか、今お話しのこと、わたくしには、どうもほんとうとは思えないのですがねえ」

と言う。源氏は、胸のつぶれる思いがして、

「それなら、今申しましたような細かなことは省いて、ただ思いがけぬ穢れに触れましたので、参内を遠慮しておりました、とだけお答えください。まことに覚束《おぼつか》ないことばかりで……」

と、平静を装って答えたけれど、内心は、またもや筆舌に尽くしがたい悲しみのことを思い出しては〈しかもそれが目の前の頭中将の恋人であったらしい夕顔を殺してしまったという事件なのであってみれば、どうあっても本当のことは話されぬ……〉と、ますます気持ちが悪くなり、もはや目すら合わせようとはしないのであった。しかし、まさか中将

が源氏の願ったとおりの概略だけを伝えて事が済むとも思えず、また中将がその通りに言うかどうかも心もとないことゆえ、勅使として同行した、中将の異母弟蔵人《くろうど》の弁《べん》を、次に側近く呼んで、さきに頭中将に伝えたことを、もういちど事細かに話して聞かせて、公式な伝達役の蔵人の弁が、真面目にその旨を奏上してくれるようにと、念を押しておいた。同時に、左大臣かたにも、こういう事情で、当分は行かれないということを伝えておくことにしたのである。

源氏、東山にて、夕顔の遺骸と対面

すっかり日が暮れてから、惟光がやってきた。

しかじかの穢れがあるという触れ込みゆえ、源氏のお見舞いに訪れた人々も、忌みごとのために、皆着座せずに立ったまま失礼するというわけで、源氏の身辺はひっそりとしている。

惟光を近くに呼んで、源氏は尋ねた。

「どうだ、あの後《あと》、もう息を吹き返すことはないと確かに見届けたか」

そう言いながら、源氏は袖を顔に押し当ててさめざめと泣いた。惟光ももらい泣きしながら、

「もはや、今はお命もこれまでと拝見してまいりました。そうなれば、山寺に長々と籠《こも》っているのも不都合でございますので、明日は日柄がよろしいとのことでございますから、弔《とむら》いのことなど万端、わたくしの存じ寄りにて、徳高き老僧がございますので、よく頼み置きましてございます」

「で、あの付き添うていた右近という女房は、いかがいたした」

「はあ、さようでございます。あの者も、またとても生きてゆけそうにも思われないように見えまして、自分も女君のあとを追って行くなどと取り乱しておりましたゆえ、ひょっとすると今朝あたり、あの谷に身投げでもしかねまじき様子でございました。で、あの者が、どうしても五条の家の者たちにこの一部始終を知らせてやらなくては、などと申しますので、そんなことになっては一大事でございます、わたくしは、ともかく落ち着いて心を静めよ、そして前後の事情をよくよく熟考してみよ、と、くれぐれも申し宥《なだ》めておきましてございますが……」

惟光の報告を聞きながら、源氏はしみじみと思い巡らして言った。

「私も、ひどく具合が悪くてな、このままではどうなってしまうかわからないという気がする」

「なんの、なんの、この上なにを思い悩まれる必要がございましょうか。すべては、前世からの因縁のしからしむることでございます。この一件につきましては、決して誰にも秘密の漏れぬよう、この惟光、せいぜい出精《しゅっせい》仕《つかまつ》りまして、万端後始末に当たっておりますから、どうぞご安心召されませ」

惟光は一心に励ました。

「そうか、たしかに、これみな前世からの因縁だとは思うようにしているのだが、浮《うわ》ついた心がけの遊びから、人一人の命を空しくしてしまったということは、どうしても恨みを買うに違いない。それに胸が痛む。そのほうの妹の少将《しょうしょう》の命婦《みょうぶ》にも、話してはならぬぞ。ましてや母上の尼君になどは、間違っても知られてはなるまい。尼君はこういう忍び忍びの通いごとなどは、きびしく諫められるわけだからな。もし知られてしまったら、尼君の前に、どの顔を下げて出ることができよう」

源氏は、くれぐれも口固めをする。

「万事承知してございます。誦経《ずきょう》の法師どもなどにも、皆適当な作り話を申しておきましたほどに」

惟光がかく隈《くま》無く報告するので、源氏もさすがに頼りがいのある奴だと思う。あらましのところを聞くともなく聞いていた女房などは、〈いったい何事であろうか、様子はおかしいし、なんでも穢れがどうしたとかおっしゃって、内裏にも参上されないし、今はまた、惟光どのと、こうひそひそと密談などして〉と、ほのかに怪しむのであった。

「それでは、この後《あと》も万事よろしく頼んだぞ」

と、源氏は、葬儀の作法など、指示を与えた。

「なにさま、そう作法やらなにやら、大げさな葬儀など無用にございましょう」

惟光は、そういって立ち上がった。源氏は、もうこれでいよいよ夕顔の体がこの世から消えてしまうのかと思うと、悲しみが募る。

「……こんなことを頼むのは、あってはならないことだと思うかも知れないが、もう一度だけ……、あの女の亡骸を見ないで荼毘《だび》に付してしまうのが、どうしても心残りなのだ。なんとか、馬に乗って一目なりとも逢いに行きたいのだが」

源氏は、こんなことを言い出した。惟光は、〈なんとまああとんでもないことを仰せになるものだ〉と内心は思ったけれど、あえてそれに反対もしない。

「そうお思いになるのであれば、しかたがございません。では、さっそくにお出ましになりまして、夜の更けぬうちにお戻りなさいませ」

源氏は、お忍び用に用意しておいた狩衣《かりぎぬ》に着替えなどして、すぐに出かけた。気分はずっとすぐれず、堪え難い苦痛を感じながら、こんな理不尽なことのために出かけようとすると、昨夜の危なかった物の怪《もののけ》の一件に懲り懲りしているので、このまま行こうか、それともやめておこうかと、思い煩《わずら》う。それでも、やっぱり悲しさはやるかたもなく、このまま亡骸を見ないでしまっては、またいつの世にあの可愛かった容貌《ようぼう》を見ることができようかと、ただただ、そのことばかりを思って、いつもどおり惟光と随身とを伴って出かけていった。

二条の邸から、東山の山寺までの道が、ばかに遠く感じられる。

折しも、十七日の月がさし昇って、賀茂川《かもがわ》の河原のあたりでは、前駆けの者の松明《たいまつ》もかすかに、火葬場の鳥部野《とりべの》のほうを見やるあたりでは、気味の悪い景色だのに、源氏は、呆然としてもう何も感じないまま、ただただ胸をかきむしられるような苦悩のうちに、くだんの山寺に到着した。

ただでさえぞっとするような山中《さんちゅう》である。老尼は粗末な小屋に住み、傍《かたわ》らにお堂を建てて日々勤行《ごんぎょう》をして過ごしているらしい。その住まいのありさまは、寂しい限りであった。お灯明の光が、小屋の板の隙間からちらちらと漏れてくるのが見える。その小屋の内には、女が一人泣く声ばかりがして、外には法師どもが二、三人、折々なにか語らいながら、葬送の折の習いとして、あえて声には出さぬ念仏を唱えている。あたりの寺々の初夜《そや》(午後六時~十時頃)の勤行はもうみな終わったと見えて、その辺り一帯、しーんと静まりかえっている。ただ、清水寺《きよみずでら》のあたりだけは、光が多く見えて、僧侶や参拝客の人気《ひとけ》も多い。

この尼君の子息にあたる高徳の僧が来ていて、尊げな声で経を誦《よ》んでいるのを聞いても、源氏はただ涙また涙、もう涙も涸《か》れ果てるかと思われた。

小屋に入ってみると、灯火をむこうに向けて、亡骸が安置してあり、それと屏風を隔てて右近が臥せっていた。

源氏は、〈右近もどんなにか辛いことであろうな〉と見ている。

夕顔の亡骸は、なんの恐ろしい気配もなく、生前と同じようにかわいらしげな様子で、まったく生きているときとちっとも変わっていないのであった。

源氏は、亡骸の手を取った。

「なあ、私にもう一度声を聞かせておくれ。どんな前世からの約束があったのか。一目見て以来、たちまちに私は心底からお前が好きになってしまった。それなのに、こうして私一人を現世《げんせ》にうち捨てて先に行ってしまって、どうしたらいいか分からないのだ。あまりに無情というものではないか、なあ」

そんなことを言いながら、源氏は、大声を上げていつまでも泣き続ける。

読経の高僧らも、誰とも分からぬ人のこの行状を見ては、どういうことなのだろうかと訝《いぶか》しみつつ、しかし皆もらい泣きをするのであった。

まさか右近をこのままには捨て置けぬ、源氏はそう思って、

「さあ、二条の邸へ来るがよい」

と誘ってみるが、右近は諾《うべな》わない。

「わたくしは、この君がまだ幼かった時分から、もう長いこと、片時《かたとき》も離れることなく、馴れ親しんでお仕えしてまいりました。それなのに、こんなことでにわかにお別れすることになってしまったのですから、もう何処にも帰るところなどございません。また、どこ

に参りましても、女君のことを、皆様にどう説明したらよろしいのでございましょうか。お亡くなりになったことの寂しさは、もちろんでございますけれど、そのご最期について、人が口さがなく噂するだろうことを思いますと、それもまた辛うございますほどに……」

など言いながら、また泣き崩れる。

「姫君を茶毘《だび》に付すその煙に、わたくしも同じように焼かれてあの世へ参りとうございます」

とも言う。源氏は、

「お前の申すことも道理にはちがいないが、世の中というものは、およそこうしたものかもしれぬ。誰だって最後には別れぬことはできぬのだし、その別れが悲しくないはずはないのだ。先立った姫君も、こうして後《あと》に残った私も、結局は同じように限りある命、それが現実というものなのだよ。だから、心を鎮《しず》めて、私の邸を頼って来るがよい」

と、せいぜい言い宥《なだ》める。

「いや、そう言っている私自身、このままいくらも生き長らえられない心地がするのだが……」

源氏自身、そんなことを言うのでは、頼ってこいといっても頼りない感じがすることである。

「もう夜明けになりますほどに、急ぎお帰りくださいませ」

と惟光が促すので、源氏は、後ろ髪を引かれる思いで、振り返り振り返りしながら、胸もぐっと塞《ふさ》がったまま山寺を出て行く。

帰りの道は、夜明けの露でびっしょりと濡れて、それに流す涙の露さえも立ち添う。深い朝霧のなか源氏は、どこをどう通って帰ったのかほとんど覚えなかった。道々、夕顔の亡骸が、昨夜急死したときのままであったことや、添い臥しをした時に、自分の紅《くれない》の衣を掛けてやった、その衣を着ていたことや、かれこれ思い出しては、さてもどういう約束が前世からあったことであろうかと、思い続けた。

朦朧《もうろう》として、源氏は、馬にもたしかには乗っていられない様子なので、帰途もまた惟光が脇にいてずっと助け助け歩ませてくる。が、賀茂川《かもがわ》の堤のあたりで、とうとう馬から降りると、ひどく気分が悪くて心も乱れた。

「私は、もはやこんな道の辺で死んでしまうのかな。とてもこれ以上は……二条までは到底行き着けない気がする」

源氏があまりにも心細いことを言うので、さすがに惟光も平気ではいられない。〈しまった、俺が、もっとしっかりしていて頼りになる人間だったら、どんなに源氏さまが行きたがっても、あんな所までお連れしなかったものを〉と思うにつけても、たいそう気が動転して、まずは賀茂川の水に手水《ちょうず》を使って身を浄《きよ》めたうえで、清水《きよみず》の観音様を一心に念じたけれど、それ以上は何をしたらいいとも思い付かない。

源氏も、強いて気を取り直して、ひたすら心中に仏を念じつつ、また惟光の手に助けられ助けられして、ほうほうの体で二条の邸まで帰り着いた。どうにも納得できないような源氏の夜歩きを、待ち迎えた女房たちは、口々に嘆きあった。

「それにしても、見苦しいご行状ねぇ」

「このごろは、いつにも増してふわふわとお忍びの夜歩きが頻《しき》りだったけれど、昨日は、あんなにお具合が悪そうだったのに、どうしたわけで、うろうろと出歩いておられたのでしょうかしらね」

源氏、重病に苦しむ

源氏は、すぐに横になると、ひどく苦しんで、二、三日のうちには、すっかり衰弱してしまった。

内裏では帝も聞こし召して、源氏の病を嘆かれることが限りなかった。そこで、病魔退散の加持祈禱など、あちこちで執行《しゆぎよう》されて騒がしく、また神の祭、祓《はら》えの作法、修験《しゆげん》の祈禱など、あらゆる手だてをつくして、帝は源氏の回復を祈らせた。源氏の、世に類例のない美童美男ぶりは、物の怪に魅入られかねない不吉さを思わせたので、もしや、源氏の君はこの世には長く生きられない運命なのではないかと、天下こぞっての騒ぎとなった。

源氏は、病篤《あつ》しき苦しみのなかにも、あの右近を呼び寄せ、局《つぼね》を手近なところに与えて近侍の役につかせた。惟光は、このおちおちできぬ気分のなかで、せめて気を鎮めて、いろいろ考えた。そうして、この右近という者が、身の置き所もなく気の毒な人だと思ったので、なにかと世話をして助けてやりながら、源氏に仕えさせるよう取り計らったのである。

源氏は、いくらか病勢が緩んで気分の良いときには、この右近を召し寄せてなにかと用を申し付ける。そうこうしているうちに、右近も二条の邸のご奉公に馴染《なじ》むようになった。喪服の真っ黒なのを着ているうえに、容貌なども優れたほうではなかったが、ちょっと見には見苦しいところのない若い女房であった。

「なあ、右近。思えば夕顔の君と私との契りは、不可思議に短く終わったものだが、どうもあの亡くなった方との縁に引きずられて、私もこの世にはもう長く生きてはいられないような気がする。お前も、あの君を長年頼りにしていたものを、あんなことで失ってしまって、さぞ心細く思うであろうな。その慰めにも、もし私が幸いに命長らえることができたら、なにかとお前の面倒を見てやろうと思っていたのだよ。けれども、まもなくまたあの君のおられるところに、私もご一緒しそうに思うので、残念ながら、そうもいかなくなるかもしれぬ」

そうしんみりとした声で語りかけると、源氏は、また弱々しく泣いた。右近は、〈女君のことはもう言うても仕方のないこと、それよりも、源氏さままでが空しくなられるようなことが万一にもあったら、それこそは惜しまれるものを〉と思っている。

二条の邸のなかでは、仕える人々みな、源氏の重病におろおろとして足が地につかぬようなありさまである。そんななかにも、内裏の帝からは、雨脚《あまあし》よりも頻繁と思えるくらい、引っ切りなしに見舞いのお使いが遣わされて来る。かくして、源氏は、帝が自分の病を心配して嘆いておられるというのを聞いて、ただもうもったいなくて、しいて心を強く持つように努めた。左大臣も源氏のために奔走して、二条の邸に日参し、加持祈禱、医師の治療、薬餌《やくじ》療法などなど、あらゆる力を尽くして看病に当たったのが功を奏したのであろうか、二十日余りの間たいそう重病に苦しんだけれど、これという後遺症もなく、徐々に快癒に向かっていった。

かくして、床上《とこあ》げの祝いと、死の穢れに触れたための忌み明けの日が重なる夜に、かたじけなくもご心配くださった帝のお心も恐れ多いことなので、内裏の宿直所《とのいどころ》に、晴れて参上することにした。

左大臣は、自分の車で源氏を自邸に迎えて、こういう場合の物忌《ものい》みの儀式やら何やら、七面倒なことをあれこれとりおこなっては、源氏にも重い慎《つつし》みを求めたのであった。源氏は、まだまだ忘我のていで、まるで一度死んで、別の世界に生まれ変わったような感じすら覚えた。

源氏全快、右近、夕顔の身の上を語る

九月《ながづき》二十日のころ、源氏は全快したが、だいぶひどく面《おも》やつれしてしまった。それはそれで、却ってすばらしくすっきりとした男ぶりになったが、なお物思いに耽っては、嗚咽《おえつ》を漏らしたりもしている。その様子を見とがめる女房などもあって、あのように源氏が普通でないのは、物の怪に取り憑《つ》かれているのだろう、などと噂する向きもあった。

源氏は、右近を近く呼んで、のんびりした夕暮れなどに、かれこれ夕顔の思い出などを語りあった。

「それにしても、どうも納得できぬことがある。あの夕顔の君は、どうして自分の身の上が誰とも分からぬように、ひしと隠しておられたのだろうか。仮に、おっしゃっていたように、ほんとうに海士《あま》の子であったとしても、私が、あれほどに思いをかけていたとも知らないで、心に隔てをつくっておられたのは、私は、ほんとうに恨めしく思ったものだったよ」

「いえいえ、なぜ、女君が深くお隠し申していたなんてことがございましょう。強いて隠

し申し上げていたのではございませんで、あまりににわかなご縁でございましたから、どうということもないようなお名前など、申し上げる機会を得なかったのでございますよ。思っても下さいませ、最初から、源氏さまはお顔も覆面でお隠しになって、なにがなんだかわからぬような奇妙な形でお通いになりましたでしょう。なので女君は、まるで現実のこととも思えないと仰《おつしや》いましてね。また、お名前も隠してもおられましたでしょう。いいえ、源氏さまに違いないとは思っておりましたけれど、それほどのお方だから、きっと自分のことなどほんのかりそめのお遊びで、だからああやってごまかしておいでなのだわ、と、ずいぶん辛いことと思っておいでのようでした……」

「ああ、それはまったくつまらぬ意地比べをしてしまったものだね。私は、そんなふうに思って心の隔てを置いていたつもりなど全然なかった。ただ、ああいう世に許されない忍び歩きは、あまり経験もなかったしね。お上《かみ》からも、きっちりとお諫めを頂戴《ちようだい》していたことでもあり、なにぶんあちこち憚るべきことの多い身分で、ちょっとばかりどなたかに戯れを言うだけでも、狭い世界のことで、たちまち周りの取り沙汰となってしまう。だから、ふとあの夕顔の花が目に留《と》まった夕べから、なぜか自分にも分からぬほど気にかかってね、無理を重ねて逢瀬を果たし、ああやって通っていくようになったのも、きっとそうなるべき前世からの因縁があったのだろうと思ったが、……それは嬉《うれ》しくもあったし、辛くもあった。

それにしても、こんなにあっけなく終わってしまう仲だったのに、どうして、あんなに私の心にしみじみと愛しく思われたのであろうな。

右近、もう少し、詳しく話してくれぬか。今はもう、何も隠すことなどあるまい。だいいち、これから七日ごとにあの方の法要をしようにも、名前すら知らないでは、誰の為《ため》の供養と心のうちに思えばいいのかね。だから……」

「何をいまさら、お隠し申しましょう。女君ご自身がじっと心に秘めておられたことでございますから、お亡くなりになった後《あと》で、そうそう節操もなく口にするのもいかがかと思っておりましただけでございます。

さて、女君のご両親は、早く亡くなったのですが、お父様は三位《さんみ》の中将であったと伺っております。父君はこの姫をたいそうかわいがって、目の中に入れても、というほどでございましたけれど、なかなか、ご自身の身過ぎのほどは思うに任せぬことと嘆いておいでだったようでございます。そのうち、お命までままならず、とうとうお亡くなりになりましてね。

その後《ご》、ふとしたご縁から、頭中将さまが、まだ近衛《このえ》の少将でいらした時に、お見初め遊ばされて、三年ばかりの間、ずいぶんとお心をかけて下さる様子でお通いになりましたが、あれは、去年の秋ごろのことでございました……。あの、中将様ご正室の実家筋、右大臣のあたりから、呪詛《じゅそ》を懸けたとやらなんとやら、たいそう恐ろしいことが聞こえてまいりましてね、なにしろ女君は並々ならず怖がりでいらっしゃいましたから、どうにもこうにも怖《お》じ気《け》づかれてしまいましてね、西の京に、乳母が住んでおりました所に、ひっそりと隠れておしまいになりました。

けれども、そこも、なかなか見苦しい侘《わ》び住まいでございましたから、どこか山里にでも移り住もうとお思いになったのですが、あいにくと、考えていたあたりは、今年は方角の悪い年回りに当たっておりまして……、そこで、方違《かたたが》えにというので、あの五条のあやしげな家に仮住まいしておられたわけでございます。そこを、源氏さまに見つけられておしまいになり、ご運の拙《つたな》さを嘆いておられたようでございます。

女君は、世の中にも珍しいくらいのはにかみ屋で、人にご自分が恋しく思っておいでのところを知られるのは、どうしても恥ずかしいとお思いになりましてね、ただただ、さりげない風を装って、源氏さまにもお目にかかっていた……というように拝見しましたのですが」

と語り出した。源氏は、ああ、やっぱり思っていた通りだと、頭中将の告白話を思い合わせ、いよいよ愛惜《あいせき》の情《じょう》は増すばかりであった。

「ところで、なんでもかの君との間には、小さな子どもがあったけれども、行方知れずにしてしまったと中将は嘆いていたが、そんな子があったのか」

「さようでございます。一昨年の春にお生まれになりましてね。女の子で、それはそれはかわいらしい姫さまでございました」

「そうか、で、その女の子は、今どこにいる。だれにもほんとうのところは明かさずに、ひそかに、私に引き取らせて欲しいのだが……。あんなふうに、忽然《こつぜん》と消えてしまったかの君の形見として、その姫を手元に置けたら、どれほど嬉しいだろうか」

それからまた、源氏は、

「あの頭中将にも知らせるのが本来かとは思うのだが、しかし、そうしたら、あの人を死なせたことを伏せてもおけまいから、中将につまらぬ恨みごとを言われるに決まっている。ほかならぬ女君の娘でもあり、また私にとっては、妻（葵上）の姪《めい》にも当たるわけだから、かれこれ考え合わせても、私が愛育するのに不都合もあるまい。だからその一緒にいて世話をしているという乳母《めのと》などに、私の所だということは明かさないで、うまく養女として引き取れるように取り計らってはくれまいか」

と、こんなことを持ちかけた。

「それでございましたら、わたくしは、まことに嬉しゅうございます。あの姫が、むさくるしい場末の西の京などでお育ちになるのは、どうあっても気が咎《とが》めますことでございます。いえ、五条には、まともにお世話できる者もいないと申しまして、もとの西の京の乳母のところへ移られたと聞いておりますので……ですが……」

右近は、こう答えて、庭に目をやった。

折しも夕暮れの静かな一時、空も美しい茜《あかね》色に暮れつつある。すぐ前の植え込みの花々も秋の深まりと共に枯れ枯れとなって、虫の声も途絶えがちに聞こえてくる。紅葉はしだいに色づいて、まるで絵に描《か》いてみたいほどの景色である。

〈思いもかけなかった、こんな素晴らしい宮仕えの暮らし……〉と、右近は、あの貧相だった夕顔の家のことを思い出すにつけても、恥ずかしい気持ちになった。

竹やぶのなかで、家鳩《いえばと》がくぐもった声で鳴く。すると、あの荒れ果てた邸で、同じ鳴き声が聞こえたのを、夕顔の君がひどく怖がっていた、その面影が彷彿《ほうふつ》として、源氏の心に、改めて夕顔のかわいらしかったことが思い出される。

「歳は、いくつだったのだろうか。なんだか不思議な気がするほど、世にたぐいなく弱々しく見えたのは、やはりあんな風に長くは生きられない運命だったのだね」

「はあ、十九におなりだったでしょうか。わたくしは、あの姫君の乳母子《めのとご》にあたります。わたくしの母……今は亡き乳母が忘れ形見のように残してまいりました子でございましたので、姫様の御父三位《さんみ》の君《きみ》様が大変にかわいがって下さいまして、ずっと姫君のお側に置いてお育て下さいました。そのことを思い出しますと、姫君亡き後《あと》に、どうしてわたくしだけが生き長らえておられましょう。あの『思ふとていとしも人にむつれけむしかならひてぞ見ねば恋しき（いかに恋しく思うからとてなんだってこんなにもかの人に馴れ親しんだのだろう。それが習いとなって今逢わずにいると恋しくてならぬ）』という古歌の心さながら、なぜこんなにあの姫君に睦《むつ》まじくさせていただいたものかと、今はそのご恩が悔やまれるほどでございます。姫君は、いかにも弱々しくていらっしゃいましたのに、そんな方を頼るべきお方として、もう長い年月ご一緒させていただきましたもの……」

「いかにも弱々しい人のほうが、かえってかわいらしいものだね。あまりに賢《さか》しらで人の言うことを聞かぬような人は、どうも感心しない。私自身は、心ざまがあまりしっかりしたほうでも、きちんとしたほうでもないので、女はただ柔和で、どうかすると人に騙《だま》されそうなところがあって、それでも遠慮深く、夫と頼む人の心には素直に従おうとする人が、やはり良いなあと思うのだ。そういう人を、自分の思うままに教え諭して暮らすことができたら、きっとうまく行くような気がするのだよ」

そんなことを源氏がつぶやくと、右近は、

「されば、源氏さまのお好みには、ちょうど良いお方でしたのに、と思いますにつけても、ほんとうに惜しいことをいたしました」

など言って泣くのであった。

空が曇って、冷ややかな風が吹き始めた。しばらく、深い物思いに沈んだあと、源氏は独り言のように、歌を詠じた。

見し人の煙《けぶり》を雲とながむれば
ゆふべの空もむつましきかな

契りを結んだ人を野辺に送る煙が、
ああやって雲になったのだと思って見ると、
夕方の空も私には心親しいものに思われる

右近は、とっさに返し歌を詠むこともできない。そうして、ここにいるのが自分でなくて、亡き姫君であったなら……、と思うにつけても、胸がいっぱいになるのであった。源氏もまた、あの五条の家に通《かよ》った夜に、打ち響く砧《きぬた》の音が耳にうるさかったことを思い出すのも恋しくて、ふと白楽天の「月苦《さや》かに風凄《すさま》しうして、砧杵《ちんしょ》悲しめり。八月九月正《はちげつきうげつまさ》に長き夜《よ》、千声万声了《せんせいばんせいおは》る時なし（月は皓々と冴え風は冷ややかに吹いて、遠く砧を打つ音が悲しく聞こえる。八月九月、この正に長い秋の夜、砧の音はいつまでも限りなく続いている）」という詩句などを低吟しつつ、閨に入った。

源氏、空蟬や軒端の荻と文を通わす

あの伊予の介の家の小君《こぎみ》も、折々は、やってくることがあるけれど、源氏も今は以前のような言伝《ことづ》てをすることもなくなっている。それを空蟬のほうでは、きっともう源氏は自分のことをひどい女だと思い切ってしまったのだろうと思うと、やっぱり嫌だなと思う。しかし、源氏がこんなふうに病に臥せっていると聞けば、やはりふっとため息も出る。折しも、伊予の介は空蟬を伴って任国に下るというので、空蟬はさすがに心細くなり、もしや源氏はもう自分のことなんかすっかり忘れてしまったのではないかと思って、ためしに文を書いた。

「ご病気と伺いましてお案じ申し上げておりますが、いかがでございますかと口に出しては、とてもとても……、

……問はぬをもなどかと問はでほどふるに
　いかばかりかは思ひ乱るる

……お尋ねできませんでした。けれども、どうして音信をせぬのかとお尋ねくださることもなく、もうずいぶん時間が経ってしまいましたので、私は、どれほど思い乱れていることでございましょうか

あの『蓴菜《ねぬなは》の苦しかるらむ人よりも我ぞ益田《ますだ》の生けるかひなき（益田の池に生える蓴菜《じゅんさい》を

繰る、ではありませんが、逢えずにくるしいとおっしゃるあなたよりも、私は益々、くるしくて生きている甲斐もございません)』という古歌の心は、まことでございましたね」

などと書いて送ったのである。空蟬から手紙をよこすなど珍しいことではあり、また、源氏のほうだって、空蟬への思慕は忘れてしまったわけではなかったので、さっそく返事を書いた。

「『生けるかひなき』とは、誰が言いたいことでございましょうか。

空蟬の世はうきものと知りにしを
また言《こと》の葉《は》にかかる命よ

蟬の抜け殻のようにうつろなこの世、
それは辛いものだと私は、あなたとのことで思い知りました。
なのに、またこのようなお言葉を頂戴して、
これよりはこのお気持ちを頼りに生きてまいりましょう

蟬の羽のように頼りないことですが」

と、まだ病後で震える手に筆を持って乱れた字で一心に手紙を書いている姿さえ、源氏

はやはり美しい。この歌は、あの夜、蟬の抜け殻のように空蟬が残して逃げた小袿《こうちき》のことを仄《ほの》めかして詠んだのだが、空蟬のほうでは、あの小袿のことを源氏はまだお忘れでなかったのだと知って、我ながら見苦しいとはおもいながら、やはり心がときめきもする。

こんな調子で、いかにも情緒纏綿《じようしよてんめん》たる手紙などはやりとりするのであったが、じっさいに逢うということまでは思ってもいない。とは言いながら、空蟬は、まるで情知《なさけ》らずのつまらぬ女でもないのだな、と源氏に思われてはおきたいのであった。

あの夜、空蟬と碁を打っていたもう一人の女は、蔵人《くろうど》の少将《しようしよう》という男を婿に定めたと、源氏は小君から聞いた。〈うーむ、その少将とやら、もし自分とあの女の関係を知ったら、どう思うであろうか〉と、少将の心のうちを思えば気の毒でもあるし、またあの女のその後の様子なども知りたく思って、源氏は、小君を使いとして、また手紙を送った。

「焦がれ死にしそうになって、やっと生き返った私の恋心をご存じでしたろうか。されば、

ほのかにも軒端《のきば》の荻《をぎ》をむすばずは
露のかことをなににかけまし

夢のようにほのかな一夜の契りでしたが、あの軒端の荻《おぎ》とご縁を結ばなかったとしたら、
ほんの露ばかりの恨み言だって、何にかこつけて言うことがありましょうか。
私はあなたと、ああして契ったからこそ、恨み言の一つも申したいのですよ」

こんな歌をわざわざ人目に立つような背の高い荻に結びつけて贈ったのは、あの背の高い娘の姿になぞらえたのである。

小君には、それでも「くれぐれも目立たぬようにそっと渡せよ」と命じたのであったが、そもそもこんな目立つことをしたのは、まかり間違ってその少将とやらが見つけたとしても、ほかならぬ源氏からの文だと見当がついたなら、きっと大目にみてくれるだろうと、高飛車なことを源氏は考えていたからである。こういう心の驕《おご》りはまことにけしからぬ次第であった。

かくてこの女を軒端の荻と呼ぶ。

少将がいない時を見計らって、小君は源氏からの文を披露すると、軒端の荻は恨めしくも思ういっぽうで、やっぱりこんなふうに思い出してもらえたことが嬉しくて、さっそく返事をしたためた。もとより下手な歌だけれど、即座にお返しすることとゆえ、どうかその

点は見ゆるしてください、とかれこれ言い訳などを書いた末に、こう歌を詠じてあった。

「ほのめかす風につけても下荻の
　なかばは霜にむすぼほれつつ

あの夢のようにほのかな逢瀬を仄めかす風の便りにつけても、
荻の下葉のような下々の身のわたくしには、半ば嬉しく思いながら、
半ばは霜に当たって弱るように、物思いに鬱《ふさ》ぎこんでおります」

見れば、字は決して上手ではない。しかし、なんとなくごまかして洒落《しやれ》たつもりで書いてあるのは、いかにも品がないと源氏は思った。

あの夜、灯火《ともしび》の光に仄かに見た軒端の荻の顔を源氏は思い出した。

〈……軒端の荻のほうはともかく、それと気を緩めることなく対座していた空蝉のほうは、そこそこ取り柄のある容貌をしていたが……、あの軒端の荻は、何のたしなみがあるとも見えず、ただ騒々しく、したり顔で騒いでいたがな〉、など、よくよく思い起こしてみると、待て待て、まんざら悪くもないか……。とまあ、こんなことだから、また性懲りもなく浮き名の立ち兼ねない、源氏の浮気心である。

夕顔、四十九日の法要

夕顔の四十九日の法要は、公けにではなかったが、比叡山《ひえいざん》の法華堂《ほっけどう》において、なにごとも省略せず、装束をはじめとして、しかるべき調度なども揃え、誠心誠意の誦経《ずきょう》などを執行《しゅぎょう》させた。経典も美々《びび》しい荘厳《しょうごん》を施し、仏像の装飾も綺羅《きら》を尽くして、惟光の兄の阿闍梨を導師として請《しょう》じたのだったが、この人はたいそう高徳の僧侶だったので、またとなく立派な法要となった。また死者の成仏を願う願文は、源氏の漢学の師で、親しくしている文章博士《もんじょうはかせ》を招いて書かせることにした。ただ、夕顔の名前は書かずに、愛しく思った人が空しくなったのを、後世《ごせ》は阿弥陀仏に任せ申す、という旨を、源氏自身が文雅豊かに書いて草稿を撰《つく》り、博士に添削を請《こ》うたところ、博士は、

「どこにも添削すべきところはござりませぬ。まったくこのままにてよろしかろうと存じます」

と答えた。

堪《こら》えても堪え切れぬ涙がこぼれて、いかにも悲しげな源氏の様子を見て、博士は、独り

ごちた。

「さても、この願文は誰のために供養《くよう》ずるのであろう。この人だという評判にもなっていないのに、これほどまでに源氏を思い嘆かせるとは、宿縁のすばらしいことよな」

源氏は、ひそかに調製させてあった夕顔の装束の袴を持ってこさせて、こう歌を詠じた。

泣く泣くも今日《けふ》はわが結《ゆ》ふ下紐《したひも》を
いづれの世にかとけて見るべき

生きていた頃に二人で結ぶことなく、
今日という日に泣きながら私が独りで結ぶことになった袴の下紐を、
この先、なんど生まれ変わったら、二人で解きあって睦《むつ》みあうことができるのだろう

〈この四十九日の法要が済むまでは、亡者の霊魂は、まだこの世に彷徨《さまよ》っているということだが、こうして法要も済ませた今日からは、いったい六道《ろくどう》の道のどこにあの人は赴いたのであろうか〉と、源氏は遥かに夕顔の魂の行方を思いやりながら、念仏誦経《ずきょう》にいっそう心をこめるのであった。

夕顔をしのぶ五条の宿の人々と源氏

このことがあって以来、源氏は頭中将に会う度に、わけもなく胸が騒いだが、あの撫子《なでしこ》の姫が成長しつつあるさまも聞かせてやりたいとは思うものの、うっかりそんなことを言って中将に恨み言を言われてもかなわないので、あえて黙っている。

あの夕顔の咲いていた家のほうでは、女君はいったいどこに消えうせてしまったのだろうかと案じたけれど、差し当たって探しようもないので、そのまま尋ねることもできない。しかも右近からも何の連絡も来ないので、まことに不可思議千万なことがあるものだと、口々に嘆き交わしている。

「たしかなことは言えないけれど、あのご様子は、もしかしたら源氏さまであったかもね」

などと女房たちはひそひそと噂しあっている。ついては、きっとあいつが怪しいというので、惟光に詰問してもみるのだけれど、惟光は、「まさか、まるっきり無関係だ」と、にべもなくごまかしながら、かねて通って来ている女房のところへは、以前に変わらずやって来ては色事に精励しているので、女房たちは、ますます訳がわからない。なにやら夢《ゆめ》幻《まぼろし》のような気がして、〈もしかすると、どこかの受領《ずりよう》の息子あたりで、色好みの男が、頭中将に知れたら一大事と恐れるあまり、すぐに連れて任国に下ってしまったなんてことかもしれない〉とも、かれこれ想像をたくましくするのであった。

実は、夕顔の君には、右近の亡母のほかに、もう一人西の京に住んでいる乳母があって、その人の娘が、この五条の家の女主人、つまりは揚名《ようめい》の介《すけ》なる男の妻なのであった。この西の京の乳母には三人の娘があって、いずれも夕顔とともに、この家に隠れていたのだが、ただ近侍の右近だけは、赤の他人で、そのために、分け隔てして夕顔の君の近況を五条のほうには知らせてこないのだろうと、みな泣きながら夕顔を恋しがった。

右近は右近で、夕顔の産んだ姫君が西の京の乳母の手元に養われていることは承知しているし、源氏に、その撫子《なでしこ》の姫を養女にする件を取り計らってくれと頼まれてもいるのだが、といって、今さらに、五条の家のほうへも、西の京の乳母のほうへも、尋ねてみることもできぬ。そんなことをすれば、あたら夕顔の君を死なせてしまったことを知らせなくてはならないし、きっと大騒ぎになって事が面倒になるだろう。源氏も、今さら夕顔の一件は決して誰にも漏らさずにおこうとじっと秘めているので、幼い姫君のことは誰にも聞くことができなかった。ただ呆然と行方知れずのまま、無為に日数《ひかず》が過ぎていくのであった。

源氏は、せめて夢にでも見たいと願っていたが、この法事を終えた翌日の夜、あの荒れたなにがしの院での様子そのままに、あまつさえ枕上《まくらがみ》に出現した物の怪らしいものまでも一緒に、夕顔が彷彿と夢まくらに立った。源氏はハッとして目覚めると、〈さては、ああいう荒れた邸に住み着いている妖怪が、自分に目をつけて現われ、夕顔はその巻き添えを食って、あんな目にあったのか〉と、こんなことを思い出すさえ不吉なことであった。

空蟬、夫と共に伊予へ下る

伊予の介は、十月《かんなづき》のはじめ頃に、任国へ下っていった。女房どもも一緒に下っていくというので、源氏は、餞別《せんべつ》について特別に配慮したことであった。また公《おおやけ》の餞別の他に、内々の贈り物を空蟬にはことに心配りし、精緻《せいち》な細工のきれいな櫛《くし》やら扇やら、また旅中の道の神への奉納のための幣《ぬさ》やら、多くのものをわざと事々しく取りそろえて、そのなかに、あの夜以来手元に置いてあった小袿をさりげなく紛れ込ませて返した。そこに一首の歌が添えてあった。

逢ふまでの形見ばかりと見しほどに
ひたすら袖の朽ちにけるかな

また逢う日までの、あなたの形見にと思ってお預かりしておりましたが、いつもあなたを思って泣いておりましたほどに、この小袿の袖も涙ですっかり朽ちてしまいました

そのほか、こまごまとしたためた恋文もついていたのだが、煩《わずら》わしいので、ここには略す。

源氏からの贈り物を届けにきた御使いの者はそのまま帰ったけれど、あの小袿の歌の返歌ばかりは、小君を通じて詠み送った。

蟬の羽《は》もたちかへてける夏衣《なつごろも》
かへすを見てもねは泣かれけり

蟬の羽のような薄い夏の衣も、すっかり裁ち替えて冬の衣にいたしました今ごろに、あの夏の衣をお返しくださるのを見ては、思わず蟬のように声高く泣けてしまいました

この歌を舌頭《ぜっとう》に転がしながら、源氏は、

〈さてもさても、いくら考えてみても、なんとも納得しかねるほどの心の強さで、あの空蟬は私を振り捨てて離れていったものだな〉といつまでも思い続けた。

ちょうど今日は立冬、いかにもその日に似合わしく、ぱらぱらと時雨《しぐれ》は降り、どんよりと寒々しい空の色も季節柄の風情であった。この日一日、源氏は、物思いに沈みながら、また一人低吟する。

過ぎにしもけふ別るるも二道《ふたみち》に
ゆくかた知らぬ秋の暮かな

亡くなってしまった人も、いま生き別れて行く人も、
生死《しょうじ》二つの道こそ違《ちが》え、どこへ行ってしまうのか分からない、
寂しい寂しい秋の暮れよな

夕顔といい、空蟬といい、人に知れてはいけない恋はさも苦しいものだなあ、と今度という今度は思い知った源氏であった。

こういうくどくどと煩わしいことは、源氏が強いて押し隠し秘密にしていたので、筆者としても書くに忍びないとは思ったのだが、どうして、帝の御子だからといって、かれこれの欠点について知っていても知らぬふりをし、褒めてばかりいるのか、そんなのはいかになんでも作り話ではないかと受け取る人もあるだろうと思うが故に、敢《あ》えて書くことにしたのである。あまりの口さがないおしゃべりの罪は、どうしたって逃れる術《すべ》もないことは承知ながら。

若紫
_{わかむらさき}

源氏十八歳の三月から十月まで

源氏、瘧病《わらわやみ》に苦しみ、北山の聖のもとへ

突発的に高熱が出て恐ろしいほどの震えが襲ってくる。源氏はそういう病気に冒《おか》されて苦しんでいた。瘧病《わらわやみ》というのであった。さまざまのまじないや加持祈禱《かじきとう》など、あらゆる手を尽くしたが、なかなか病状は好転しない。いったんは収まっても、熱や瘧《おこり》がまたすぐに再発して源氏を苦しめる。

「北山《きたやま》のなにがし寺というところに、大した法力をもった行者《ぎょうじゃ》がおります。去年の夏にも、この病が世間に流行いたしましたときに、人々がまじないの効き目なきに手こずっておりましたのを、この行者がたちまち治してしまったという話があちこちにございます。このままひどくなさいますと一大事ですから、さっそくその行者にかかってごらんになってはいかがでしょうか」

などと勧める人があって、ただちにその行者を呼びに、使いの者が北山へ走った。しかし、「もうすっかり老いて腰なども曲がっておりますので、岩室《いわむろ》の外へは出ないと申しております」と報告が入る。源氏は、

「では、しかたがない。私のほうから内々《ないない》に出向くことにしよう」
と言って、供人には親しい家来四、五人だけを連れて、まだ真っ暗な夜明け前に二条の邸《やしき》を出た。

やや山深いところまで入る所であった。折しも三月《やよい》の末《すえ》とあって、京の花盛りはすっかり過ぎてしまっていた。しかし、山のほうはまだ桜が盛りで、次第に山懐《やまふところ》に入っていくにつれて、春霞《はるがすみ》もぼおっと立ちこめて春らしい趣である。源氏は、この季節に、かかる山の中まで出かけるというような経験もなく、またなにかと自由にならない身の上なので、この春山の景色のなにもかもが目に珍しいのであった。

やがて着いた山の寺の佇《たたず》まいも、まことに荘厳《そうごん》の気に満ちている。峰は巍峨《ぎが》と高く聳《そび》え、その中腹の深い巌洞《がんどう》のうちに、その行者は行ない澄ましていた。

源氏はこの聖《ひじり》のところまで登っていって面会した。自分がだれであるかはもちろん明かさなかったが、いかにひどく病み窶《やつ》れているとはいえ、かくれもないその容姿ゆえに行者はすぐに源氏であることを見抜いてしまった。

「これはこれは、恐縮なることでございます。せんだって、京よりお招きくださったお方でございましょうかな。拙僧は、もはやこの俗世のことには興味もなにもございませぬでな、加持祈禱の行法《ぎょうほう》なども、さぁて、もうすっかり忘れてしまっておりますのに……はてさて、なんとして、こんな所までお出で下さったことでございましょうか」

とびっくりしながらも、にこりと微笑んで源氏と対面する。いかにもありがたい有徳《うとく》の僧という感じがする。老僧は、護摩符《ごまふ》を作って飲ませてから、おもむろに加持祈禱など上げているうちに、すっかり昼中になった。

源氏、なにがしの僧都の庵を遠望す

源氏が岩屋を出てあたりを望見してみると、そこは、かなり高い所で、眼下に僧坊が散在しているのが、こんどははっきりと見下ろされた。その九十九《つづら》折りの参道の下のほうに、あたりの庵《いおり》と同じような小柴《こしば》の垣根ではあるけれど、ことに端正に巡らした清らかな感じの僧坊が見える。その庵にはまた別の堂に続く渡り廊下なども設けてあって、辺りの木立も由緒ありげに見えた。

「あれは、どなたのお住まいか」

源氏が尋ねると、お供の者が答えた。

「あれこそは、なにがし僧都《そうず》という方が、ここ二年ほど籠《こも》り修行をいたしております所だそうでございます」

「そうか、よほどご立派な方がお住まいの所なのだろうね。そういうことだったら、私ももっとちゃんとした格好をしてくるのであった。こんなみっともない身なりではいかになんでも恥ずかしい。その僧都の耳にも入るだろうから……」

など源氏は言い、じっと見ていると、なにやらこざっぱりした身なりの女の童《めわらわ》などが出たり入ったりして、仏の閼伽水《あかみず》を汲《く》んで供したり、お供えの花を折ったりするのが目《ま》の当たりに見える。お供の者はそのことに興味をもったようであった。

「あそこには、女がおりますなあ」

「僧都が、まさか女を囲っておるというわけでもありますまいし、いったいあれはどういう人でありましょうか」

など口々に評定《ひょうじょう》しあっている。またわざわざ下のほうへ偵察に降りていく者もあった。

やがて、

「見て参りましたが、あそこには、器量のいい娘ども、また若い女房衆、それに女の童などがおります」
などと報告が至った。

源氏、明石の入道とその姫の噂を聞く

源氏はそれから、しばし勤行《ごんぎょう》に励んだが、日が高くなるにつれて、病気のほうはちゃんと良くなっているのだろうか、どうだろうかと気になってきた。

「あまり根《こん》をお詰めにならずと、なにか気晴らしなどなさって、病気のことはすこしお忘れになるようにするのがよろしゅうございましょう」

周囲の者は、そんなふうに源氏に進言する。

源氏は、それもそうだと思って、後ろの山に登り、京の町を遠く見下ろしてみた。遥《はる》かに霞み渡って、どこもかしこも、山々はぼうっと煙《けむ》って見える。

「まるでいつか見た絵のようだ。こんな所に住んでいる人は、心中にさぞ遺憾なく天然の美を堪能《たんのう》することであろうな」

源氏は、そう感心している。

「こんな景色は、まだまだたいしたことはございません。遠く東《あずま》の国など、異国にございます海や山のありさまをお目にかけましたならば、君の絵筆のご技量もさぞご上達なさいますでしょう。さよう、東の国にては、富士の山、なにがしの嶽《たけ》など、見事な山がいくらもございます……」

とこんなことを得意になって教える者もあるかと思えば、西国《さいこく》の美しい海岸や磯のありさまを述べ立てる者もあって、かれこれ源氏の病中のつれづれを慰めてくれるのであった。

「京に近いところでは、播磨《はりま》の国の明石《あかし》の浦などは、これまた格別でございますぞ。特にこれが、というような趣深いなにかがあるというわけでもございませんが、ただ、浜から海のおもてをずっと眺め渡しただけでも、なにかこう、他のところとは格別、ゆったりとした良いところでございます。

その播磨の国の先代の国の守《かみ》が、その後《ご》出家入道《にゅうどう》いたしまして、またその家に、美しい娘がございましてなあ。この父入道のかわいがりようが甚《はなは》だしいのでございます。もともとこの入道の家は、遡《さかのぼ》りますと大臣《だいじん》まで出した家柄、まかり間違えば中央での出世などもできたはずの男でございますが、なかなかのひねくれ者にて、宮廷での人付き合いもせず、近衛《このえ》の中将《ちゆうじよう》という官位を捨てて、自分からこの播磨《はりま》の守《かみ》にと願い出て頂戴《ちようだい》したという官職なのでございました。けれども、そんなふうでございますので、播磨の国人たちからも侮られる、で、『かような按配《あんばい》では、なんの面目あって再び都に帰ることができましょうや』とかなんとか申しまして、とうとう頭を剃《そ》って入道になったという、まことに変わり種でございます。

といって、別段山奥に住むでもなく、明石の浦に近いところでのうのうと暮らしておりますのは、どうもどこか間違っているようにも思えます。ただ、あの播磨と申しますところは、山がちの国でございますから、そういう隠遁《いんとん》の人が隠れ住むのによろしいところなどいくらもございます。しかし、いざ山奥となりますと、これがひどく人気《ひとけ》がございません、ぞっとするような所がらでございますのでなあ。おそらくは、若い妻子などが、そんな場所では心細がるというわけで、かような海辺に住まいしておりますのでしょうが、また、入道自身海辺のほうが気が晴れていいのでもございましょうか。

じつは先ごろ、私はその明石に下ってまいりましたついでに、入道の様子を見に立ち寄ってみましたのですが、京でこそ不遇のようでございましたが、いやあ、あちらではどうしてどうして、そこら一帯厖大《ぼうだい》に土地を買い占めて大邸宅を営んでおりました。なんと申しましてもね、国司の権勢に任せてしでかしたことでございますからして、国司を辞したのちの余生も心配なく豊かに暮らせるように、十二分の用意がしてございました。死んでの後に極楽往生しようというわけでしょうか、仏道の勤行《ごんぎょう》などもおさおさ怠りなくいたしましてね、あれは、法師になってからのほうが、俗世におりました時分よりもだいぶんと見勝《みまさ》りするようになった男でございますなあ」

とこんな話をする。入道はともかく、その娘のことが源氏の耳に留まった。

「で、その娘は……」

「さようでございますなあ。まあ悪くない、というところでございますね、器量もまた性格のほうも。そこで、後任の播磨の守などが、いろいろに用意して、この娘に縁談を申し入れたようでございますが、入道はさっぱり承知いたしません。なにしろ、念入りな遺言をいたしておりましてね。曰《いわ》く『わが身がこのように空しく沈淪《ちんりん》しているだけでも不本意極まりないのに、たった一人のわが娘にまで辛い目を見せるわけにはいかぬ。それゆえ、この娘の縁付き先については、格別の思いがある。もし私の死後、この願いを果たせず、つまらぬ男に縁付くくらいなら、海に身を投げてしまうがよい』と、こんな極端なことを常々申しておりますから、……そこらの国司風情《ふぜい》に娘はやれん、ということなのでございましょう」

　これを聞いて、源氏は、おかしな入道だなと、思う。

　またそこにいた供人たちも、

「海に身を投げるとは、おおかた海底の海竜王《かいりゅうおう》の后《きさき》にでもなるべき秘蔵の箱入り娘なのであろうよ」

「まあ、ずいぶんと高望みをしたものよなあ」

　と笑いあった。

　この明石の入道の話を披露したのは、じつはその後《のち》の播磨の守の息子で、かねて蔵人《くろうど》を勤め上げた上で、その年の正月の叙爵《じょしゃく》に従五位を授けられたという男であった。

「おぬしは、なにしろ聞こえた色好みゆえ、その明石の入道とやらの秘蔵娘を頂戴して、くだんの遺言破りをしようという下心があったのではないかのう」

「それで、そうやって入道の家のあたりを嗅《か》ぎ回ったにちがいあるまいが、どうじゃ」

　などと笑う者たちもあり、また、

「そんなことを言ってもな、しょせんは、明石くんだりの田舎っぽい娘じゃないのかねえ、なにしろ、そんな辺鄙《へんぴ》なところに生まれ育って、頭の古い親のいいつけに従ってばかりいたわけだろうからね」

などとからかう者もある。

「いやいや、俺の聞いたところでは、どうやらその娘の母親というのは、相当に由緒ある家柄の出らしいぞ。それゆえ、姿のいい若い女房やら、女の童《めわらわ》などを、この母親の伝手《つて》をたどって探し求めては、都の高貴なお家から連れてきて娘のお相手をさせたそうだ。なにぶん、いくら入道が威張ったとて、和歌や管弦などの教養もない女に育ってしまっては、そんな高望みなどしいしい、おちおち田舎にも置いておけまいがな」

供人どもは、口々に好き勝手なことを言って興がっている。源氏は、これを聞くと、

「いったいどういうつもりで、その入道とやらは海の底なんてところまで、深く思い込んだのであろうかな。海の底には、海松布《みるめ》という海藻が生えているそうだから、そこでもまた人の見る目がうるさかろうに」

などと他人事《ひとごと》のように言いながら、その娘に異常な興味を覚えているのであった。

供人どもは、〈……とかく、こういうことにしても、源氏様は、ともかく並外れてひねくれた事がお好きなご気性だから、この話はきっとお耳に留められるだろう〉と推量している。

「源氏様、どうやらこんな暮れ方になりましても、お熱などは出ぬようになりましたようでございます。そろそろご帰京あそばされましてはいかがでございましょうか」

と供人どもは勧めるのだが、治療に当たっている行者が、

「いえ、なにぶんとも、相手は瘧病《わらわやみ》だけではございませんで、手ごわい物の怪《もののけ》なども加わっているように拝見いたしますので、どうか今宵《こよい》はもう一晩安静に願います。拙僧もせいぜい加持祈禱に力を尽くしましょうほどに、明日お帰り遊ばしませ」

と差し止めるので、それならそうするのがよろしかろうということに衆議は一決する。源氏も、こういう山寺の旅寝も珍しい経験なので、それなりに面白く、

「それならば、明日の夜明け前に」

と帰京の予定を定めた。

源氏、僧都の庵を垣間見する

春の日はたいそう長い。源氏はつれづれのままに、その夕暮れ、深い霞《かすみ》に紛れて、あの眼下に見えた僧坊の小柴垣のあたりに出かけていった。ほかの供人はみな帰してしまっ

て、ただ気心の知れた惟光《これみつ》だけを連れて小柴垣に近づくと、二人して中を覗《のぞ》き見《み》してみた。

すると、この坊舎の西向きの部屋に念持仏《ねんじぶつ》を安置して行ない澄ましている尼の姿が見えた。簾《すだれ》を少し巻き上げて、仏に花を供養するらしい。中ほどの柱に寄りかかって、脇息《きようそく》の上に経典を置き、ひどく苦しそうな様子で経を読んでいる尼君は、ただの人とも見えない。年は四十余りだろうか、ひどく色白で身は上品に細いけれど、頬《ほお》のあたりはふっくらとして、目もとも涼やかに、また髪を可憐《かれん》な感じに削《そ》ぎ揃《そろ》えたのも、中途半端に長くしているよりもかえって今様《いまよう》の風儀に適《かな》っている、と源氏は感心して見つめている。

そこに、こざっぱりした感じの女房が二人ばかり仕えていて、ほかに女の子が何人か出入りして遊んでいる。それらのなかに、十歳ほどになるかと見えて、白い衣を着、上に着ている衣は山吹襲《やまぶきがさね》（表朽葉、裏黄）、それをもう糊気《のりけ》も失《う》せてしんなりとした様子に着て、走り出てきた子がある。この子は、そこに何人もいる女の子たちとは比べ物にならぬ。このまま成長して娘時分にもなったら、どれほどの美形になるだろうかというようなかわいらしげな容姿をしている。髪は扇を広げたように肩にかかってさらさらと揺れ、どうしたわけか、顔は泣いてこすったと見えて赤くなっている。

「どうしたの。またそんなに泣いて。喧嘩《けんか》でもしたのですか」

と、尼君が尋ねると、女の子は尼君を見上げた。その面差しを見ると、すこし似ているところがあるので、〈ははあ、あれは母と娘かもしれぬ〉と源氏は見当をつける。

「雀《すずめ》の子をね……犬君《いぬき》がね……逃がしちゃったの。伏せ籠《ふご》のなかにね……入れておいたのに」

と、女の子は、さもさも悔しそうにしゃくり上げる。どうやら、その犬君とやらは、女《め》の童《わらわ》の名と見える。すると、尼君の側に座っていた女房が、

「まあ、なんてことでしょう。あの犬君めが、またぼんやりして。いつもこういうしょうもないことをしでかして、お叱《しか》りを受けるんだから、もう、しょうもない子だこと。さあさ、雀ちゃんは、どこに行っちゃったんでしょうねえ。やっと、かわいらしくなってきたのにねえ。カラスなんぞに見つかったら大変大変」

と言いながら、立っていった。その女房も、髪のゆったりと長い、なかなか美しい人であった。この人は少納言《しょうなごん》の乳母《めのと》と呼ばれているようだから、おそらくこの子の世話をする乳母なのであろう。

尼君が大儀そうに口を開いた。

「まあまあ、そんな、幼いことを。聞き分けのない……。私はもう、今日明日の命も知れない、こんな調子なのに、知らん顔で、雀ばっかり追いかけて、そんなことをしていると、罰《ばち》が当たりますよ、いつも言ってるでしょ。困った子ね」

そんなふうに諭《さと》しながら、それでも、

「ここへ、いらっしゃい」

と呼ぶと、その女の子は、ちょこんと尼君の前に座った。その顔立ちはいかにもけなげな美しさで、眉《まゆ》のあたりはふわりと煙るようにやさしく、子どもっぽく髪を掻《か》き上げる様子は、その額の生え際、髪の色つや、いずれもたいそうかわいらしい。〈この先成人していけば、どんなに麗《うるわ》しい人になるだろうか、見届けたいものだ〉と、源氏はじっと見ている。それも、じつは、源氏が限りなく胸を焦がして思い続けている藤壺《ふじつぼ》の御方……、〈あの方に、瓜《うり》二つの顔立ちのゆえに、自然に目を引かれてしまうのだな〉と思うにつけても、はらはらと涙が落ちた。

尼君は、女の子の髪をやさしく撫《な》でながら、苦しげな声で言い聞かせる。

「そなたは、櫛《くし》を入れるのも、うるさがるけれど、ほんとうにきれいなお髪《ぐし》ね。そんなふうにいつまでもしっかりしないことでは、私は、なんだか気がかりでなりませんよ。そのくらいの年になれば、そんなふうじゃない人だってあるものですよ。そなたの、亡くなった母君は、十歳のときには、父君に先立たれて、それでも、もうすっかりものの道理など弁《わきま》えておられましたものねえ。これで、私が、すぐにもそなたを残して先に逝《い》ってしまったら、さてさて、どうやって生きていくつもりなのでしょう」

こんなことを言って、さめざめと泣くのを見ても、源氏は、わけもなく悲しくなるのである。

幼心にも、なにか感ずるところがあるとみえて、女の子は、尼君の顔をまじまじと見つめ、またうつむきになるときに、髪がさらさらと肩からこぼれ落ちる。つやつやとしてすばらしく美しい髪だ、と源氏は思った。

尼君は低く詠じた。

生ひ立たむありかも知らぬ若草を
おくらす露ぞ消えむそらなき

この先、どうやって生長していくのかも知れぬ、この若草のような子を残して、はかない朝露のような命の私は、いつ消えるかわかりませんが、

ああ、消えるに消えられぬ思いがします
その場に伺候《しこう》している女房も、頷《うなず》いて、嗚咽《おえつ》を漏らしながら、これに和した。
初草《はつくさ》の生ひゆく末も知らぬまに
いかでか露の消えむとすらむ
萌《も》えいでたばかりの、この若草のような姫の、生長していく先もお見届けなさらぬままに、どうして露のように消えるなどとお考えになるのでしょうか
こんなことをやりとりしているところへ、この僧坊の主《あるじ》の僧都がむこうからやってきた。
「やれやれ、こんな人目につきやすいところにいてはいけませんぞ。またよりによって、今日という日に、よくもこんな外から見えるところにいらっしゃったものですな。この上のほうの聖のところに、源氏の中将が、瘧病《わらわやみ》平癒のまじないにおいでになっているということを、たった今聞きつけてまいりました。中将もたいそうお忍びで見えているので、とんと知らずにおりました。拙僧も、こんなお近くにいながら、知らぬこととてお見舞いに

も上がらず、失礼してしまいましたでな」

と、こんなことを言った。

「まあまあ、それは大変。こんなひどい姿を、もしや中将の君はご覧になったかもしれませんこと」

と尼君は慌てて簾《すだれ》を下ろした。

下ろされた簾の向こうから、僧都の声が聞こえる。

「世間では、もうそれは、わいわいという評判でございますよ、あの光源氏の君は。めったとない機会でございますれば、この際、そのお姿など拝見してはいかがでしょうかな。拙僧のごとく、世を捨てた法師の心にも、あのお姿を拝見しては世の憂《うれ》いも忘れ、寿命が延びるというほどの美しさでございます。では、ひとつさように取り計らいますから、お手紙でも差し上げてみますかな……」

などと言いながら、僧都は立って行く様子である。

源氏は、あわてて覗き見を中止して山上の岩屋に戻っていった。

〈……さても、またまた心惹《ひ》かれる娘を見つけたものだ。この調子だから、この者共のような色好み連中は、あちこちと歩き回っては、しばしばこんなところにいるはずもないような意外な女を見つけるのであろうな。私など、ごくたまに出かけてきたって、こんな思い掛けない良いことに遭遇するんだから……〉と、源氏は、面白く思うのであった。そうして……、

〈さても、さても、かわいらしい女の子であったな。誰であろう、あれは。瓜二つの、あの……藤壺の御方……の代わりに、毎日毎日私の心の慰めとして手元に置いて見ていたいものだが……〉と思う気持ちが、源氏の心に深く染《し》みついた。

源氏、僧都から少女の出自を聞く

源氏が臥《ふ》せっているところに、僧都の弟子が訪れてきて、惟光を玄関まで呼び出し、僧都からの伝言を伝えた。惟光が出て応対するのを、ほど狭いところゆえ、源氏もすっかり聞いている。

「源氏の君には、当山へお運びくださいましたる由、ついさきほど報告を受けまして驚いております。まずはご挨拶《あいさつ》に伺候《しこう》すべきのところでありましたが失礼を致しました。さりながら、拙僧が当寺に籠《こも》りおりますのをご存じでおわしますに、あえてごくお忍びで誰に

も知らせずにご登山《とうざん》なさいましたこと、まことに遺憾に存じます。もし漏れ承っておりましたならば、失礼ながらぜひお宿りいただきたいと存じ、草の蓆《むしろ》なりともわたくしどもの坊舎のほうに設けさせていただきましたものを。残念至極なることにて……」

源氏はこれを聞いて、さっそく惟光に返答させる。

「去る十幾日かのころから、瘧病《わらわやみ》を患っておりましたが、度々発熱を繰り返し堪え難い苦痛でございましたので、人の教えるのに従って、急に聖をたずねてこの山に分け入ってまいりました。さるところ、この行者のような人に加持を頼み、万一効験《こうげん》が現われませんと、その人にとっては不名誉なることになりましょう。それも、わたくしのような立場の者がお願いする場合、普通の人よりも評判になりましょうから、とかくお気の毒なことになりはすまいかと案じまして、こうして重々秘密にしてやってまいりました次第。すぐにそちらへも参上いたしましょう」

使いの僧はすぐに帰っていった。そしてまもなく、その僧都が挨拶にやってきた。

くだんの僧都は、法師とはいえ、威儀まことに立派な人で、源氏は自分が微服《びふく》のためあまりに軽々しい出で立ちであることを、いかにもきまり悪く感じた。それでも、この籠《こも》りの行《ぎょう》のあれこれなど語り合い、

「拙僧の庵も同じく粗末な小屋でございますが、ただ、庭に水を引いてございますから、ここよりは少しばかり涼しい、その水の流れもご覧いただきましょう」

と、切に切に源氏の来訪を請《こ》うた。

源氏は、さきほど覗き見していたところで、この僧都が自分のことを、「世の憂いも忘れ、寿命が延びるというほどの美しさでございます」などと言い聞かせていたのを思い出して、いくらなんでもそういうところへ顔を出すのは面映《おもは》ゆい気がする。とはいえ、あのかわいらしかった少女のことも気になるし、結局、僧都の坊舎へ出かけていった。

行ってみると、なるほど、同じ木や草を植えるにも、殊《こと》の外《ほか》風趣豊かに意匠を凝らしてある。空には月もない時分ゆえ、庭内を流れるせせらぎの岸辺には篝火《かがりび》を灯《とも》し、また石灯籠《いしどうろう》にも火が入れてある。その庭を見渡す南面《みなみおもて》の座敷は、賓客《ひんきゃく》を迎えるため、すがすがしく立派にしつらえてある。そこへ部屋全体に燻《くゆ》らせた香《こう》が心憎いばかりにほんのりと薫り、なお仏前に供した名香《みょうごう》の香《か》も充ち満ちている。これらの香の用意は、源氏の体から発せられる薫りが世にも格別な素晴らしさであることを知っている尼君をはじめとする女人たちが、よほど気を遣って調《ととの》えておいたものに違いない。

僧都は、仏法の奥深い物語を源氏に語り聞かせた。どんなに富裕であっても、どんなに権勢を誇ろうとも、どんなに高位顕官にのぼろうとも、またどんなに若くて美形を謳《うた》われようとも、しょせん現世というものは、かりそめの幻のようなもの、命などというものは朝露《ちょうろ》のように儚《はかな》いものだ……、また、死んでの後《のち》は、それぞれの生前の行ないによって、六道《ろくどう》に輪廻《りんね》し、罪を犯したるものは、必ず応報のことわりによって、地獄、餓鬼、畜生、さまざまの苦患《くげん》の世をめぐらなくてはなるまいぞ、とそういうことを、ありありと語り聞かせた。

源氏はそれを聞くと、自分の罪の深さを思い、さては後世《どせ》はどんな目にあうだろうかと恐ろしくもなった。無益な、いやそれ自体が罪そのものであるような許されぬ恋に心を奪われて、生きている限りはそのことを思い離れることなどできそうもない……ましてや、この罪の報いが後の世にどんな苦しみとなって身を呵《さいな》むであろうかと、それからそれへと思い続け、ならば、このような出家遁世《とんせい》の清らかな暮らしをしてみたいとも思うのであった。

しかし、そう思うそばから、あの昼間に覗き見したときの、美しい少女の面影《おもかげ》も彷彿《ほうふつ》と心に浮かび来て、やっぱり恋しいという思いに駆られる。

「ところで、ここにおいでのご婦人がたは、どういう方々でございますか。……いえ、その、それをお尋ねしてみたくなるような、ちょっとした夢を、以前に見たことがございまして。あの夢はいったいどういうことなんだろうと、かねて不思議に思っておりましたが、きょう、まさにこのことであったと思い当たったというわけなのでございます」

などと、源氏は出任せを言った。すると僧都は、カラカラと笑いながら、答えた。

「はっはっは、それはまたずいぶんと唐突なる夢のお話でございますな。さようなことは、お尋ねになってもまず聞いてがっかりというようなことでございましょう。じつは、按察使《あぜち》の大納言《だいなごん》は、もうずいぶん以前に亡くなってしまっておりますので、源氏さまはご存じありますまいけれど、その正室北の方と申すものが、拙僧の実の妹に当たります。その按察使物故の後《のち》は、尼となって出家遁世いたしておりますが、このごろたいへんに体を悪くいたしまして、わたくしが京にも出ることなく山住まいをいたしておりますのを幸い、ここを頼りとして、かように籠《こも》り過ごしておりますのでございます」

源氏は、なおも尋ねる。

「その大納言には、娘御がいらっしゃったと聞いておりましたが、……いえいえ決して色好みの気持ちからお尋ねするのではございません、真面目な気持ちで申し上げておりますのですが……そのお方は……」

娘のことはあてずっぽうであったが、そんなふうに聞いてみる。

「さよう、娘がただ一人おりました。が、それも亡くなりました。もう十年余りも昔のことになりますかの。故大納言は、この娘を内裏《だいり》のお上《かみ》に差し上げたいというので、それはそれは大切に念入りに育てておりましたが、その宿望も果たさぬままに、亡くなってしまったようなわけでございました。その後は、わが妹の尼が、女手一つで辛うじて育てておりましたところ、さて、あれはいったい誰の手引きでございましたやら、兵部卿《ひょうぶきょう》の宮《みや》が、密《ひそ》かにお通いになられるようになりました。……が、宮にはもとより正室がおられまして、それがまたたいそう高貴のお家柄の方でありましたゆえ、なにかと辛いことばかり多く、明け暮れに物思いばかりいたしましてなぁ、……しまいには、とうとう亡くなってしまったようなわけでございます。なるほど、物思いが高じると病になる、と世間に申しますことを、目《ま》の当たりに見たような次第でございます」

僧都の物語に、源氏は、〈されば、あの少女は、その亡くなった娘の産んだ子なのだな〉と思い合わせる。

〈……兵部卿の宮の子ということになれば、先帝の御子《みこ》のお血筋、そして藤壺の御方は宮の妹ゆえ、……つまりあの子は、先帝の血筋で藤壺の御方《おんかた》の姪御《めいご》に当たるわけか、なるほど、あの方に似ている筈《はず》であったよな……〉と、ますます心は魅《ひ》かれるいっぽうで、ぜひ親しく逢《あ》ってみたいものだと思うのであった。

〈あの子は、人がらも気品があって良さそうだし、中途半端に利口ぶったところもなく、手元に置いて、わが心のままに教育し育ててみたいものだが……〉とまで、源氏の思いは進んでいく。

「承りますれば、かれこれ大層お気の毒なることのみでございます。で、その亡き娘御には、忘れ形見というようなお子はなかったのですか」

源氏は、あの幼い女の子が実際のところどういう人であったのかを確かめておきたいと思って、そう尋ねた。

「さよう。娘が亡くなります直前に、一人生まれておりました。それもまた女の子でございましたが。さてさて、女の子とあれば、成長しての後は、これという後ろ楯《うしろだて》もない身の上、またなにかと物思いの種となろうかと、妹の尼は余命の幾ばくも残っておりません今、嘆いておりますようです」

僧都はそう話した。源氏は、これを聞いて〈やはりそういう関係の少女であったか〉と思った。

「されば、いきなり妙なことを申し上げるようですが、その幼い方の後ろ楯としてわたくしをお考えくださるように、尼君にお伝えくださるわけにはまいりますまいか。いささか思うところがございまして……いや、すでに行きがかり上で関わりのある通い所もないではないのですが、そちらのほうはどうも心の染まぬ仲らいというのでしょうか、結局、ほとんどは独り住まいをいたしております。こんなことを申し上げるのは、まだわたくしの年ごろから見て不似合いな申し条《じょう》だと、お思いでございましょうか。……いや、ともかく決して世の男どものような色めいた心で申すのではございません……もしそうお考えになられますなら、まことにきまり悪いことに存じます」

などなど、源氏は、言葉を尽くして頼み込む。

「それは、まことにありがたいお言葉にて、嬉《うれ》しいと思ってもよろしいところでございますが、なにぶんまだまるで幼稚なる年ごろでございましてな。さようなことは、お戯《たわむ》れに仰せくださいましても、ではお世話頂きましょうとも申し上げられますまい。そもそも女と申すものは、親など近くにおりますもの次第に成人し縁付きなどもいたしますのが道理、されば、拙僧ごときが、詳しいことを申すには及ばぬことと存じます。とりあえずは、その祖母に当たります尼によく語りおきまして、お返事の儀はいずれ」

と、まるでそっけない僧都の返答で、取りつく島もないような厳然とした様子である。

まだまだ若い源氏は、これにはすっかり気後《きおく》れがして、それ以上は話を進めることができない。

「さようなれば、そろそろ阿弥陀《あみだ》仏のおわす御堂《みどう》にて、勤行《ごんぎょう》などする時刻でございます。初夜《そや》の勤行をば、これよりあい済ませましてから、また参りましょう」

そう言うと僧都は、さっさと立って阿弥陀堂へ上っていった。

源氏、尼君に望みを伝える

源氏は依然として気分がすぐれない。そこへ雨はざあざあと降ってくる、山風はひやひやと吹いてくる、さらには滝の水かさもまさって音高く聞こえてくる、また、すこし眠たいような読経《どきょう》の声が途切れ途切れに寂寞《じゃくまく》とした調子で聞こえてくる……まことに、物事に無神経な人でも、こういう所にいたのではしみじみとした気持ちになるであろうに、まして、源氏は、あれやこれやと思い巡らすことが多くて、まどろむこともできずにいる。

僧都は初夜のお勤めを終えたら、と言っていたので、宵のうちにはまた来るのかと思っていたが、来ぬままにすっかり夜が更けた。女衆の住む奥のほうでも、まだ皆寝ていない気配がはっきりとわかる。ひそやかではあるが、数珠《じゆず》を脇息《きようそく》に引き鳴らす音がかすかに聞こえ、また人の動くにしたがって衣擦《きぬず》れの音がする。それらの物音を耳にすると、源氏は〈いかにも貴《あて》やかだな〉と思う。

広い邸でもないから、その気配はすぐそこに感じられる。源氏は、閨《ねや》の外に立て巡らした屏風《びようぶ》の中ほどをすこし引き開けて、パチンパチンと扇を鳴らした。この音を聞きつけた奥の者たちは、まさかそんなふうに呼びつけられるなどあるまじきこと、とは思うのだが、といって、まるっきり黙殺することもなりがたいと思うのであろう、だれか膝行《しつこう》してこちらへ出てくる人があるらしい。……すぐ近くまで寄りながら、あえて少し退《しりぞ》き、

「なんでしょう、聞き違えでしたかしら」

などつぶやく声がした。源氏はその声を聞くと、

「仏の道しるべなさいますこと、こんな『冥《くら》き道』でも決して間違うことはございますまいから」

と、法華経《ほけきよう》の偈《げ》の「冥きより冥きに入りて永く仏の名《みな》を聞かず（世俗の人間というもの

は、煩悩《ぼんのう》のために暗い道からますます暗い道へ迷い込んで、永く仏の御名を聞くことがない）」という一句を引いて、しずかに申し入れた。その声はたいそう若々しくまた貴やかなので、どんな声でお答えしたらよいものか、その女房は気が引けたと見える。

「そう仰せになりましても、どちらのほうへ道しるべ申し上げたらよいやら……おぼつかぬことでございます」

など辛うじて答える。

「それはまことにもっとものこと。あまりに唐突なる申し条と不審に思われるのも道理でございますけれど、それでは、

初草の若葉のうへを見つるより
旅寝の袖《そで》も露ぞかわかぬ

萌え初めたばかりの若葉のように初々しいあのお方を見初めてより、
我が旅寝の袖も、草の葉に置く露のような恋の涙でつゆ乾くことがございませぬ

と、このように、お取り次ぎを願わしう……」

源氏は、いきなりこんなことを言った。その歌には、先に尼君が口にした歌の「生ひ立

たむありかも知らぬ若草を」の一句が仄《ほの》めかしてある。

受けた女房は当惑している。

「さて、そのようなご伝言を頂戴《ちょうだい》いたしましても、それを拝承すべき者もこちらにはおりませぬこと、よくご存じでいらっしゃいますはず。いったい誰にお伝えせよとの仰せでございますか」

「こう申し上げるについては、なにも知らずにということはございませぬ。どうかよくよく胸に手をあててお考えくださいまして……」

源氏のこの言葉を、女房は奥に退き、尼君に報告した。尼君はびっくりする。

〈さても軽々しくうちつけなことを、……あのまだ子どもの姫が男女《おとこおんな》の仲のことなど知り初《そ》める年ごろになっているとでもお思いなのであろうか、それにしても、あの「生ひ立たむありかも知らぬ若草を」の歌を、この君はどこでどうしてお聞きになったのであろう……〉となにもかも納得しがたい思いがして、千々《ちぢ》に心は乱れ、なかなか返事も思い付かなかったが、あまりに時間が経《た》っては、無風流《ぶふうりゅう》の者とも思われかねないこととて、尼君は、辛うじて、

「枕ゆふ今宵《こよひ》ばかりの露けさを
深山《みやま》の苔《こけ》にくらべざらなむ
草枕《くさまくら》を結んでの袖の露との仰せながら、そのように今宵ばかりのかりそめの涙と、
こうして山奥にずっと苔むしております者の深い涙とを、比べないで下さいませ

まことにわたくしどもこそ涙が乾く間もないことでございますものを」

と、返答するのであった。しかし、源氏は引かない。

「こんなふうに、人を介してのご挨拶のやりとりなど、わたくしはいまだ存じませず、まったく初めてのことでございます。恐縮には存じますが、こういう機会に、真剣にお願いを申し上げたいことがございます」

尼君は、なんとかして切り抜けたいと思っている。

「なにやら、まったく間違った噂《うわさ》などお聞きになってのことかと存じますが、たいそうご立派なご様子の方に、いったい何をどうお答えしたらよろしいのでしょうか」

そんなふうに尼君は言う。すると、女房たちの声で、

「あまりそんなふうにおっしゃいましては、あちらの君がばつの悪い思いをなさいます

よ」

と諫《いさ》めているのが聞こえる。

「それもそうですね。若い人なら、困ってしまうところでしょうけれど、わたくしはもうオバアサンですから、よろしゅうございましょうか。あんなに真剣におっしゃってくださいますのは、いかにも恐れ多いことですものね」

そう言いながら、尼君は、源氏の寝間のほうへ躙《にじ》り寄ってきた。

「唐突に、浅はかなことをとお思いになるような状況ですが、わたくしの心には疚《やま》しいことはなにもございませぬ、その真意を仏様はおのずからお見通しでございましょう」

源氏はそんなことを言ってみる。が、尼君は落ち着き払っていて、さすがの源氏も気恥ずかしくなるような様子なので、しばらくは次の言葉を切り出せない。

「まことに、思いもかけませぬこのような機会に、そんなにまで仰せ下さいますのですから、浅からぬご縁がございますことでございましょう。されば、決して決して浅いお心などとは……」

尼君の言葉に、源氏は言葉を継いだ。

「あの姫君は、なにかとおいたわしいお身の上と伺いました。されば、あの亡くなられたという母君の代わりとして、わたくしをお考えおきくださるわけにはまいりませんか。わたくし自身も、なにも弁《わきま》えぬ幼少の時分に、母や祖母など親しく育ててくれるはずの人々に死に別れまして、自分でも不思議なくらい頼りないありさまで、もう長いこと過ごしてまいりました。その姫君が、わたくしと同じようなお身の上ということでしたら、どうか、お仲間とでもお思いくださいませ。そう申し上げたいと、思っておりましたが、なかなかそのことを申し上げる機会もございませんでしたので、さぞ驚き呆れられるだろうことは承知のうえで、思いきって申し上げました」

「それはそれは、たいそう嬉しく存じます、と申し上げるべきところでございますが、もしや何かお聞き違いのことなどありはせぬかと、憚《はばか》られることでございます。たしかに、こんなに情ない身の上のわたくし一人を頼りにして過ごしております者がございますが、まだたいそう幼い者で、とてもとてもお目に叶《かな》うとはおもえませんので、どうしても、そのお話はお受けできかねるのでございます」

源氏は、諦《あきら》めない。

「いや、すべてははっきりと承知しております。そのように堅苦しくご遠慮なさらず、わたくしがその姫君に思い寄せる心の、なみなみならぬ深さをご覧いただきたいのでございます」

しかし、尼君は、〈なにを仰《おつしや》るのであろう、まだあのような子どもで、とても源氏の君などに似合わしいとも思えぬものを、きっとよくご承知なくて仰せなのであろう〉と思って、心を許した答えはついに尼君の口からは出なかった。

そうこうしているところへ、僧都が戻ってきた。

「ちょうどよいところへお出で下さいました。ただいま、さきほど申し上げたお願いの筋について、尼君に申し上げていたところでした。僧都さまにお出でいただければまことに頼もしく存じます」

と言いながら、源氏は屏風を閉じて、僧都と対座する。

源氏、僧都と対話す

はや暁《あかつき》も近い時分である。法華《ほつけ》三昧堂《さんまいどう》のほうからは、読経して滅罪《めつざい》を請《こ》う行法《ぎようほう》を行なう声が、山おろしの風にのって聞こえてくる。その声はたいそう尊く、滝の音によく響きあって聞こえる。

源氏は、歌を詠じた。

吹きまよふ深山《みやま》おろしに夢さめて
涙もよほす滝の音かな

吹き迷っている深山おろしの風に、旅寝の夢も迷妄の夢も覚め、
涙をさそわれる滝の音でございます

僧都は、すぐに返答する。

「さしぐみに袖ぬらしける山水《やまみづ》に
すめる心は騒ぎやはする

滝の音に、旅寝の君は、つい涙を催されたということですが、
この山に住んで、心も澄んでおりますわたくしは、
べつに心を動かされることもございません

もう滝の音など耳に馴《な》れてしまいましたほどにな」

と、僧都はごく素っ気なく答えるのであった。

だんだんと夜が明けてきた。

夜明けの空はたいそう霞みわたって、山の鳥どもも、そちこちで囀《さえず》りあっている。名も知らぬ草木の花々は、色とりどりに散り混じり、あたかも地面に錦《にしき》を敷いたように見える。山の奥からは鹿がやってきてたたずんでいるのがみえる。源氏はみなめずらしく眺めて、いつしか気分の優れないのもすっかり紛れ果てた。

加持祈禱の行者も、もう老いて立ち居振舞いも不自由ではあったが、この僧都の庵までやってきて、辛うじて印《いん》を結び陀羅尼《だらに》を唱えなどして、源氏に護身の法を施し終わった。その嗄《しわが》れ声《ごえ》も、もう歯が抜けて息の漏れるように聞こえるのだが、それでもいかにも年来功を積んだ風情で陀羅尼など読誦《どくじゅ》するのであった。

やがて源氏の病も癒《い》え、京からお迎えの人々がやって来た。みな口々に快癒のお祝いを述べ、また帝《みかど》からもお見舞いがあった。僧都は、世上にはめずらしい草の実や木の実を、谷の底までも掘りもとめて源氏のために奔走する。

「拙僧は、今年いっぱいは籠山行《ろうざんぎょう》の誓願を立てておりますので、京までお見送りにもまいれませぬこと、なにやら心残りで、後《あと》まで執心が残りそうに思われることでございます」と、見送りに出られぬことを詫《わ》びつつ、良い酒を贈った。
「かかる清らかな山水のうちの暮らしに心惹かれてしまいましたが、帝からもなにかとご案じの由、お言葉を賜りましたことも恐れ多く、これにて山を下りますが、またすぐに花の盛りが過ぎぬうちに再び参りましょう。

宮人に行きて語らむ山桜
風よりさきに来ても見るべく

内裏の方々に、行って語ることにしましょう。ここの山桜がすばらしく美しいから、花を散らす風が吹くより先に来て見るようにと」
源氏がこんな歌を詠じてみせる、その様子、そしてその声の美しさ、まことに眩《まぶ》しいほどであった。そこで僧都は、さっそく歌を詠んで返礼する。

優曇華《うどんげ》の花待ち得たるここちして
深山桜に目こそ移らね

三千年に一度花咲くというあの優曇華の花を、待って待って、
ついに巡り合ったというような心地がいたしますので、
こんな深山の桜には、目も移らぬことでございます

これには源氏もにっこりと微笑み、

「優曇華の花とは、わたくしごときものに言うべきことではございますまい。永劫《えいごう》の時のなかで、時を得て開くと、あの法華経の教えにもございますほどに。それほどその花開く時にあうことは難しゅうございましょうから。わたくしなどはとてもとても」

と、謙遜《けんそん》らしいことを言う。

その時、加持祈禱の老行者は、源氏から土器《かわらけ》の酒を頂くと、

奥山の松のとぼそをまれにあけて
まだ見ぬ花の顔を見るかな

かかる山奥の庵の松《まつ》の戸を、稀《まれ》に開けて見ますと、
待つばかりで未だ見たこともなかった花、
まるで優曇華の花のように美しい君のお顔を拝見いたしました

と声を上げて泣きながら源氏の顔を見つめている。行者は、源氏のお守りにと、祈禱の具の独鈷《とこ》を拝呈する。それを見た僧都は、さっそく、聖徳太子《しようとくたいし》が百済《くだら》から取り寄せた金剛子《こんごうじ》の実の数珠に宝玉の飾りを施したもの、これが百済《くだら》から運ばれたときに入ってきた唐風《からふう》の箱ごと、さらにまた透かし編みの美しい袋に入れて、それをば五葉松《ごようまつ》の枝に付けたものや、それとは別に、紺碧《こんぺき》の瑠璃《るり》の壺の数々に種々の薬を入れて、藤や桜の枝に付けたものや、この場所柄に相応《ふさわ》しい贈り物をたくさん源氏に捧《ささ》げたのであった。

源氏は、行者をはじめ、読経してくれた法師へのお布施、その他用意しておいた褒美の数々を取りに京の邸へ使者を派遣しておいたので、果てはそのあたりの樵《きこり》連中にまで、相応の褒美が与えられ、盛大な読経の声に送られて僧坊を出た。

源氏、尼君と歌を詠み交わして帰京の途に

そのころ、僧都は尼君の居所に入っていって、あの源氏の申し入れを、そっくりそのままの口ぶりで伝えた。しかし、尼君は、

「とにもかくにも、今はなんとも申し上げようがございません。もし源氏さまにほんとう

のお志があるのであれば、あと四、五年してから、いかようの仰せなりとも、お答えいたしましょうほどに」

とこういう返事であったので、僧都は直ちに、これまたそのまま源氏へ申し伝えた。源氏は、尼君の返事がなにも軟化していないので、がっかりしてしまった。

が、それでも源氏は諦めることなく、僧都のもとに仕える小さな童《わらわ》に言付《ことづ》けて、また歌を贈った。

「夕まぐれほのかに花の色を見て
けさは霞の立ちぞわづらふ
きのうの夕方の薄闇《うすやみ》のなかに、ほのかに美しい花の色を見ました……ああ、私は、花のようなあの姫君の姿を見て、けさは霞の立つ中を、発《い》っても帰り難い思いでございます」

尼君からの返歌がすぐに来る。

「まことにや花のあたりは立ち憂きと
霞むる空のけしきをも見む

花のあたりは発ち難いとの、そのお心はまことでございましょうか。
たち難いといいながら、今朝は霞がたっておりますほどに、
その霞んでいる空のようにほんのりと仄めかされるお心のほどを、
はっきりと見たいものでございます」

尼君からの返事は、いかにも奥ゆかしい貴《あて》やかな手跡《しゅせき》で、しかも巧《たく》むところなくさらりと書き流してあるのであった。

左大臣家の人々迎えに参上

それから、ちょうど源氏が車に乗ろうとしているところへ、左大臣かたから、「なんとまあ、どこへともなくお出かけになられましたこと……」と恨みながら、それでも源氏の居所《いどころ》を探し当てて、お迎えの家来どもやら、左大臣の子息たちやら、大勢でやってきた。左大臣の子息たちのなかに、嫡子《ちゃくし》の頭中将《とうのちゅうじょう》、異腹《ことはら》の弟君左中弁《さちゅうべん》、そのほか、何人かの公達《きんだち》が源氏の後を慕ってやってきた。そして、一同口々に、
「こういう素晴らしい所へのお供は、ぜひともわたくしどもが仕《つかま》ろうと思っておりますの

に、置き去りの目にあわされるとは、あんまりでございます」
などと恨み言を言い、また、頭中将は、
「それにしても、なんと素晴らしい花の景色、かかる花の陰にしばらくも留まることなく、すぐに帰ってしまうなんて、なにやら物足りぬことですなあ」
と不満を口にするのであった。
そこで一同は、岩陰の苔むしたところに座を占め、土器《かわらけ》に一献《いっこん》かたむける。目の前に落ち来る水のさまなど、まことに風流なる滝の下である。頭中将は、懐に忍ばせていた横笛をとり出すと、嚠々《りようりよう》と吹き鳴らした。左中弁の君は、扇をはらはらと打ち鳴らして、
「葛城《かづらき》の　寺の前なるや　豊浦《とよら》の寺の　西なるや
榎《え》の葉井《はゐ》に　白璧《しらたま》沈《しづ》くや　真白璧《ましらたま》沈くや
おおしとど　おしとど
しかしてば　国ぞ栄えむや　我家《わいへ》らぞ　富《とみ》せむや
おおしとど　としとんど　おおしとんど　としとんど
葛城の寺の前、豊浦の寺の西にある、榎の葉の井戸には、真珠が沈んでいる、

素晴らしい真珠が沈んでいるぞ、それどんどん……もしそれを得たならば、
国は栄え、我らの家も富むことであろうぞ、それどんどん……」

と所がらの水にちなんだ催馬楽《さいばら》を良い声で朗詠する。

いずれも左大臣家の公達の姿は、なみなみならぬ美男ぶり、それを源氏はたいそう苦しそうな様子で、岩に倚《よ》り掛かって見ているのだが、この光る君ともなると、左大臣の公達とはまた格別、世にたぐいもなく、またあまりに美し過ぎて悪霊などに取り憑《つ》かれはすまいかと、不吉な感じすらしてくるほどの姿ゆえ、さすがに、この源氏の姿を見ては、もはや何ものにも目移りなどしかねるのであった。公達のほかにも、例によって篳篥《ひちりき》を吹く随身《ずいじん》もあれば、笙《しょう》の笛を供の者に持たせてきた風流貴公子なども混じっている。

僧都は、古風な七弦楽器の琴《きん》の琴《こと》を自ら持ち出してきて、源氏の前に置いた。

「どうか、これを一手《ひとて》なりともお弾きくださいまして、同じことなら、わたくしどもばかりでなく、山の鳥どもまでも驚かせてやりとうございます」

と切に源氏の演奏を所望する。

源氏は、

「いや、わたくしはただいまどうも気分が優れませず、なかなか堪《た》えがたいのでございますが」

などと口には言いながら、実際には、あまり無愛想という印象を与えぬ程度には、さらりさらりと、その古式の琴《こと》を掻き鳴らして、この管弦の遊びの宴《えん》も終わり、一同立って帰京の途についた。

これには、いかにも名残惜しく残念至極だと、風流など弁えぬ法師どもや、下使《しもづか》いの童《わらわ》などまでもが、感動の涙をこぼしたことであった。

まして、庵のうちには、年老いた尼君たちが、いまだかつて、こんなに美しい人のお姿などまったく見たこともなかったので、

「この世のものとは思えないほどの、お美しさね」

と、囁《ささや》きあうのであった。

僧都もまた、

「ああ、ああ、どういう前世からの因縁あって、これほど美しいお姿でいながら、かかる汚らわしい日本の、しかも末法《まっぽう》の世に生まれ合わされたものであろうと思うと、それこそ悲しいぞや」

と、目を押し拭《ぬぐ》った。

そうして、あの姫君も、幼心に、〈すばらしいお方だなあ〉と思って、

「お父さまの兵部卿の宮様よりもすてきね」

などと言う。

「それならば、あの方のお子になられたらいかがでございますか」

女房の一人が、そんなふうに唆《そその》かすと、姫はまんざらでもない表情でコクンと頷き、内心に、

〈そうなったら、すごくすてき……〉

と思うのだった。それ以来、お人形の遊びにも、またなにげなく絵を描いて遊ぶにも、いちいち、

「これは源氏さまね」

とて、特別に麗しい装束を着せたり描いたりして、大事にするようになった。

源氏、参内して帰京の挨拶をし、その後左大臣邸へ

源氏は、まず内裏に参上して、ここ数日のことをあれこれと物語って帝にご報告する。帝は、〈たいそうひどく衰えたものだな〉とご覧になり、なにか悪いことがおこらねばよいがとご心配になった。そうして、その行者はどれほどに尊い人であったかというあたりのことをご下問になる。源氏が詳しく申し上げると、

「そうか。それは、本来阿闍梨《あざり》などにもなるべき者だね。修行の功《こう》を積んで立派な法力を備えておいでのようだが、内裏のほうまでは聞こえてこなかった……」

と尊崇《そんすう》して仰せになる。

そこへ左大臣が参内してきた。

「わたくしどもがお迎えに参ろうと思っておりましたが、お忍びでのお出ましゆえ、かえってそれもいかがかと存じましてご遠慮いたしましてございます。まずはわたくしどもの邸にて、一日二日ほど、ゆっくりとご休息遊ばしますように」

左大臣はそう言って、もう一言付け加えた。

「されば、これよりすぐに、ご同道申しましょう」

源氏は、これから気詰まりな左大臣邸に行くというのも気が進まないことであったが、左大臣の申し出も無にはできぬこととて、しぶしぶ同道して帰った。

左大臣は、まずは源氏を先に車に乗せ、自分は後から乗り込んできて後部の末席に座を占めた。こうして下へも置かずもてなす左大臣の心遣いの懇篤《こんとく》なることを、源氏はさすがに心苦しく思うのだった。

源氏と葵上、心は通い合わず

左大臣邸かたでも、まもなく源氏のお出ましということで、あれこれと細かに心遣いして怠りなく用意をしている。もうずいぶん久しく源氏もお出でがなかったというので、もとより見事な御殿をさらにピカピカに磨き上げ、万事疎漏《そろう》のないように調《ととの》えて待っている。

女君の葵上《あおいのうえ》は、いつものことながら、深く姿を隠してなかなか出てこないところを、父大臣が、早く出て挨拶せよとしきりに勧めた結果、ようやく顔を出した。

その様子は、ただもう絵に描いた「お姫さま」そのもの、近侍の女房衆が周囲をひしと取り囲み、ろくろく身動きもできぬ様子で、端然と座っている。源氏は、この葵上に対面しては、ただいまの心中の思いを、なんとなく話してみたり、あるいは、このほどの山ごもりに際しての珍しい山道のことなども語ってみるけれど、せっかく話しているのに、葵上はよそよそしい態度に終始している。源氏は、〈こういうとき、なにかこう心のこもった受け答えでもしてくれれば、話す甲斐《かい》もあるのだがなあ〉と、がっかりせずにはいられない。

こんな調子で、いつもほんとうに気詰まりなことゆえ、年々歳々心が離れていくのを、苦々《にがにが》しく心外だと源氏は思っている。それでついつい、こんなことを口にするのであった。

「せめて時々は、世の中の夫婦らしいご様子を見たいものですが……。わたくしがほんとうに辛い思いで病に臥せっておりましたのを、具合はどうか、とすらお問いくださらなかったのは、まずいつものことながら、やはりわたくしとしては恨めしく……」

源氏がそういった言葉の尻を捕らえて、葵上は、たった一言、

「『問わぬはつらきもの……』でございましたか」

と、源氏のほうを正視することなく、ちらりと横目をくれながら言う。自分が問わなかったことが辛かったとは……さて、問わぬことがそんなに辛いならば、問われぬ者の気持ちもお分かりのはず、というあてこすりが、その冷淡な表情のうちに現われている。その姿は、周囲のものが恥ずかしくなるほど、気高《けだか》く美しい。

源氏は、こう切り返されて、しまった、と思う。あの「君をいかで思はむ人に忘らせて問はぬはつらきものと知らせむ（あなたに、なんとかして好きな人に忘れられるという経験をさせたい。そうしたら、何も消息をくださらないのがどれほど辛いかお分かりになるから）」という古歌を仄めかして、源氏がろくにこの邸に通ってこないことを葵上は恨んでいるのだと思い知ったからである。

「たまにお口を開かれると思えば、なにをおっしゃいますやら、呆れたことを……。その『問わぬ』とかなんとかいうことは、忍ぶ恋とやらいうような恋仲の場合に言うことで、わたくしどもとは立場が違いませんか。さても、情《なさけ》ないことをおっしゃる。こうしていつまで経っても情知らずのなされようでは、……もしやお考え直してもくださるかと、あれやこれやと試みてみますのに、かえってますますわたくしを思い疎《うと》まれるようで、……やれやれ『命だに……』というところでしょうかね」

と言い捨てて、源氏はぷいっと寝所へ入ってしまった。後《あと》に残った葵上は、最後に源氏が言った「命だに」という言葉を心に反芻《はんすう》しながら、しばらく動かない。「命だに心にかなふものならば何かは人を恨みしもせむ（命の長さが心のままになるものならば、こうしてあなたに疎《うと》まれているのもどうして恨みに思いましょう。永らえてさえいれば、いずれはあなたの心も解けましょうから）」という古歌の心を、源氏はどう思っているのであろうか……。

源氏は閨のうちに臥して、女君の入ってくるのを待っているが、なかなか来ない。さては、ここで入ってくるように誘うべきであろうか、どうしようか、と考えあぐねて、ため息など吐《つ》きながら横になっている。こんなことも、いかにも中途半端で面白からぬ思いがする。源氏は眠そうに聞こえよがしの大あくびなどしながら、かねて恋仲になっては通っている、あの女のこと、この君のこと……北山の少女のこと、そしてあの藤壺の御方のことなど、それからそれへと思いは乱れてとどまらない。

源氏、北山の少女を忘れかねて、尼君と文通

あの北山の若草のような少女は、その後《ど》どのように過ごしているだろうか、源氏はぜひ

にもそれを知りたいと思う。しかし、〈年の違いなどを考えると、尼君たちが似合いでないと思うのも道理だから、なにかと言い寄り難いところもあるな。……なんとか策を構えて、結婚だのなんだのとやかましいことではなく、ただ気軽に手元に引き取って育てるというくらいのことにして、明け暮れ慰めとして見ていたいものだが、……それにしてもあの兵部卿の宮は、貴やかで、すっきりとした美しさの方ではあったが、ただ艶《つや》っぽい色気などはおありでなかった……しかしあの少女はまだ子どもながら不思議な色気がある、そこは親子という感じではないのだが、そうすると、兵部卿の宮も藤壺の御方も同じお妃《きさき》の血を引かれているから、その血統ゆえにあの子は魅力がそなわっているのだろうか〉などと、源氏は思い当たった。

〈……あの藤壺の御方とご縁続き……それもまことに心惹かれる……されば、何とかしてわが手に……〉などと源氏は深く心に期するのであった。

そこで、翌日、北山に宛てて手紙を差し出した。僧都にも、このことはそれとなく仄《ほの》めかして手紙を書いたに違いない。尼君に宛てては、

「よそよそしいお取りなしで相手にしてくださらなかったことに気が引けまして、心に思

っておりますこともすっかりお伝えすることはできぬままになっておりますこと、残念に存じます。かかる文を差し上げますについても、並々ならぬわたくしの思いのほど、ぜひお察しいただけましたら、どれほど嬉しく……」

などと書いた。そしてその文のなかに、かわいらしい結び文を封じてあったが、そこには、くだんの姫君に宛てたとおぼしくて、

「おもかげは身をも離れず山桜
　心の限りとめて来《こ》しかど

あの面影が私の体を離れずにいます、あの美しい山桜の面影が……心は、すべてそちらに置いて来てしまったのですが

夜風が吹くにつけても、お寒くはないかと、気が揉《も》めてなりません」

と、こう書いてあった。その筆跡の見事さは言うまでもなかったが、それをさらりと巧むところなく包んである様も、これを姫君はどう見るか分からぬけれど、年老いた尼君たちの目には、まばゆいばかりに好ましく見えるのであった。

〈さてさて、これは困りました。どうやってお返事を差し上げましょう〉と、尼君は思い

煩《わずら》ったすえに、

「お出かけのついでにちらりと仰せのことは、真剣に考える必要もないようなことと、わたくしどもは拝察いたしておりますのに、かく、わざわざのお手紙を頂戴いたしましては、お返事の申し上げようもなく存じます。まだ『難波津《なにはづ》に咲くやこの花……』の手習いをすら、まともには書き続けられぬくらいの幼い者にて、せっかくお話しくださいましても甲斐のなきことでございましょう。それにいたしましても、

嵐吹く尾《を》の上《へ》の桜散らぬ間を
心とめけるほどのはかなさ

山の上の桜にお心を留められたとのことでございますが、こんなに嵐の吹いておりますな山の上の桜など、まもなく散ってしまいますのに、そのわずかな時の間にお心を留められたとは、まるではかなく散る花のように、なんという当てにならないお気持ちでございましょうか

わたくしのほうも、たいそう心配なことでございます」

と返事をしたためた。せっかく源氏が子ども向けに小さな結び文を作って贈ったのに、

肝心の姫君は、まだろくろく文字も書けないというのであった。僧都の返事も、否定的な意見であることはかわりがない。

源氏はそれが残念でならず、次には二、三日の後に、惟光を使者として北山に送った。

「よいか、あちらに少納言の乳母《めのと》という者がいるはずだ。その者を尋ね出して、詳しく相《あい》謀《はか》ってくるがよい」

源氏はそう言い含めた。尼君を経由したのでは埒《らち》が明かないと見て策を変えたのである。

これには惟光も呆れ返った。

〈まったく、四方八方行き届かぬということのない好き心だなあ、まだあんなに小さな子どもだったというのに……、はっきりとではないけれど、俺も垣間見《かいまみ》したっけがなあ〉

と、あの覗き見のことなど思い出しているというのも妙なぐあいであった。

惟光は僧都に宛てた文と、少納言に宛てた文を懐にしている。僧都には、ひとまず感謝の挨拶などあれこれと書きつづった文を届けさせたので、わざわざこんなお手紙を頂戴しては、と僧都は恐縮している。

それから、惟光は、くだんの少納言の乳母を探し出して、面会の段取りをつけた。

面会して、惟光は、源氏の考えや言葉のあれこれ、また日頃の様子などを詳しく物語った。もともと惟光は口達者な男で、いかにも調子よく話し続けたけれど、姫君はまだそんな年ごろでもないし、こんな子どもを相手に源氏さまはどんなおつもりでおいでなのか、と尼君も僧都も、ただ心配するばかりであった。

源氏からの文にも、それはそれは懇切に書き綴ってあり、またもや姫君に宛てたかわいらしい包み文が封じてあって、そこには、

「上手に続け書きはできなくとも、一字ずつ離してお書きになった文でも、わたくしは拝見したいと思います。

あさか山浅くも人を思はぬに
など山の井のかけ離るらむ

あさか山の……、あさくあなたを思っているわけではありません。
それなのに、あなたはどうして、山の井に映るかげの……、
かけ離れた心しか持ってくださらないのですか」

尼君が「難波津《なにはづ》に咲くやこの花冬ごもり今は春べと咲くやこの花（難波の浜に咲いている

梅の花、冬ごもりをしていたけれど、今は春だとばかり咲いている梅の花)」と、古い手習いの歌を引いて歌ったのに対抗して、源氏は、同じく手習い歌の「安積山《あさかやま》影さへ見ゆる山の井の浅き心をわが思はなくに(安積山の影までも映って見えている山の泉、その泉のように浅くあなたを思っているわけでもないのに)」を引いてこんな風に書き送った。

すると尼君も、またこんな歌を詠んで応酬する。

「汲《く》みそめてくやしと聞きし山の井の
浅きながらや影を見るべき

初めて汲んでみて、しまったと後悔したと聞くあの浅い山の井、
そのように浅いお心のまま、姫の影を見ることができますものか」

これは、安積山の歌から転じて、「くやしくぞ汲《く》み初《そ》めてける浅ければ袖のみ濡るる山の井の水(うっかりと汲んでしまってその浅かったことを後悔しております山の井、そんなに浅いお心でしたのに、今では悲しさに袖ばかり濡れる山の泉の水でございます)」という古歌を引いて、源氏の浅い心を諷《ふう》したのであった。

いろいろに策を弄したけれども、結局は、惟光の報告もまた、同じように否定的なの

で、少納言の乳母の返事には、

「ただいま病《やまい》に臥せっております尼君のご体調が多少とも良くなられましたら、今しばらく御猶予を頂戴して、京の御殿にお帰りの後《のち》に、しかるべくお返事を申し上げましょう」

とあった。源氏は、これを一瞥《いちべつ》して、〈なんだか頼りないな〉と思った。

藤壺との密会

さて、藤壺の宮は、病気のために、宮中から退出して里下がりをしていた。帝はその身をいたく御心配になって、なにかと気を揉まれているご様子で、たいそうお気の毒だと源氏は思っている。

しかしながら、せめてこういう時にでも、あの藤壺の御方に逢いたいと、心も上《うわ》の空になって、どの女のところへも出かけずにいる。そうして、内裏にいるときも、また二条の邸にいるときも、昼はただぼんやりと物思いに耽《ふけ》ってすごし、日が暮れると藤壺の近侍の女房、王命婦《おうみょうぶ》のところにやってきては、なんとかしてほしいと、手引きをせがむのであった。

命婦は困り果てていたが、さて、どこをどう取り計らったものであろう。あまりに源氏に責められて、命婦は、無理算段して手引きしたとおぼしい。

源氏は、ある夜突然に、藤壺の閨に現われる、そして……。

この無理やりな逢瀬……その間にもこうして現に逢っていることがまるで夢か幻のように儚《はかな》く感じられて、源氏は、悲観的な思いに苦悩する。

しかし、藤壺にとっては、あのいつぞやの夜の思いもかけなかった過ちを、思い出すだけでも身も世もあらぬ懊悩《おうのう》の種であるのに、せめてはあの一夜っきりで終わりにしようと固く決心していたにもかかわらず、ここにまたこうして、罪を重ねてしまった、そのことがひたすら辛くて悲しくてどうにもならないのである。

藤壺は、なにもかも情なくてどうしたらいいか分からない、それでも、源氏から見れば、その物腰は親しみ深くまたかわいらしく、それでいて馴れ馴れしからず、奥ゆかしく気品あふれる態度で終始している、〈……やはり世にたぐいないお方だが、……どうして、もっとなにか欠点の一つもおありでないのであろうか。欠点があれば、少しはこの恋慕の思いも鎮められるだろうに……〉と、源氏にはそのことが却って辛く思われるのである。

嬉しくも悲しい逢瀬《おうせ》の時は、またたく間に過ぎていく。源氏は、あれも申し上げたい、これも語り合いたい、ああ、夜の明けぬという暗部山《くらぶやま》にでも宿りたいと思っていたが、なにほどのことも言えぬうちに、あいにく夏の短夜《みじかよ》はあっという間に明けようとする。こんな嘆かわしいことなら、なまじっか逢わぬほうがよかった、とさえ源氏は思う。

見てもまた逢ふ夜まれなる夢のうちに
やがてまぎるるわが身ともがな

こうしてお目にかかっても、また再び逢うことなど稀なのですから、せめてはこの夢のような逢瀬のうちに紛れて消えてしまいたい我が身でございます

源氏はそんな歌を詠んで、嗚咽とともに泣き崩れる。その様子はあまりにもかわいそうだと思ったのであろう、藤壺は切々たる歌を返した。

世語りに人や伝へむたぐひなく
憂き身をさめぬ夢になしても

この逢瀬は、めずらしい物語として人は後の世にも語り伝えることでしょう。

だれよりも辛い我が身、いっそ死んでしまってこのまま醒めない夢にしてしまいましてもね
その懊悩する様子もまことに道理、恐れ多いことであった。
夜が明ける。命婦の君は、源氏が脱ぎ散らした直衣《のうし》などをかき集めて持ってきた。源氏は、身支度を調えると、急いで二条の邸に帰っていったが、そのまま泣いて泣き臥《ふ》したまま、日が暮れていく。

藤壺の懐妊と懊悩

以来、源氏は、幾度も文を差し上げるけれど、取り次ぎの命婦の答えはいつも同じ、「ご覧くださいませんでした」というのであったから、源氏は辛くて、悲しくてうつけのようになっている。そんな調子で、内裏にも参らずに自邸に籠っている。

〈ああ、またこんなふうに二、三日も参内せずにいたら、どうかしたのかと、父帝にも御心配をかけてしまう、それもまた罪深いことだ〉と源氏は恐懼《きょうく》するのであった。

藤壺は、なんという情ない我が身であろうと思って、ますます嘆きは募る。もとより病気で気分は優れなかったのだが、その気分の悪さもいやましになって、帝からは、一日も早く参内するようにとの勅使が度々到来するけれども、とてもそんな気持ちにはなれなかった。しかも、どうもこの気持ちの悪さは普通でない、もしや、もしや、と人知れず思い当たり苦悩する事実もあって、辛くまた、ほんとうにどうなることだろうと、千々に心は乱れるばかりであった。

暑いうちは、ほとんど臥せったまま起き上がることもできない。

荏苒《じんぜん》として日は過ぎ、四月《うづき》のあの夜、源氏が忍んできて密《みそ》かに閨を共にしてから三月目《みつきめ》の六月《みなづき》にもなると、いよいよ懐妊の事実は覆いがたく目に見え、近侍の女房たちも、これはご懐妊かと気付かずにはいない。こういうことになってしまった我が身の、呆《あき》れはてた因縁の罪深さに藤壺の苦悩はますます募る。

が、おしなべての女房たちは、まさか源氏が忍んできて逢瀬を遂げたなど想像だにできぬことゆえ、このお子は帝のお胤《たね》と疑うよしもない。それなのに、なぜこの月になるまで懐妊の事実を帝にご報告申し上げないでいたのかと、そのことにみな驚くのであった。しかし、藤壺の心のうちには、たしかにあの夜の源氏のお胤と、はっきり分かっていたのであったろう。

ただ、藤壺にとっての乳母子《めのとご》である弁《べん》やら、王命婦など、お湯殿でも親しく入浴のお世話などしてなにもかも目《ま》の当たりに知る女房たちは、このご懐妊には疑わしい節《ふし》があると、心には思っていたけれど、もちろん口にすべきことでもないので黙っていた。なかにも、手引きをした王命婦は、よりにもよってあの一夜の過《あやま》ちばかりに懐妊してしまう藤壺の悲しい宿縁に、ただもう茫然たらざるを得ぬ。

結局、帝には、藤壺の宮のご病気が物《もの》の怪《け》の仕業《しわざ》であったために、そのご不調に紛れてご懐妊のことは見落としていた、というようなふうに適宜ご報告したらしかった。されば、周囲の女房たちも、そういうことであったかと納得していたのである。

懐妊と知って帝は、藤壺に対する愛《いと》しさもひとしおで、内裏からはお見舞いの勅使がひきもきらずにやって来る。それを見るにつけても、藤壺は良心の呵責《かしやく》にさいなまれて、恐れ苦しみ続けていた。

源氏、恐るべき夢を見て藤壺の懐妊を悟る

源氏もまた、ある夜、おどろおどろしく奇怪なる夢を見た。さっそく占いの者を呼んでこの夢の占《うら》を判定させてみると、

「源氏様は、やがて天子様のご父君《ふくん》となられましょう、と占に見えてございます」

と、まさかそんなことがあってはならず、また源氏自身思ってみたこともないような筋合いのことを判じ述べた。そしてなお、

「ただし、ご運のうちには、掛け違うことどもが些《いささ》かございますから、よくよく御身《おんみ》をお謹みあそばされますように」

とも占ってみせた。

源氏は、あの藤壺との一夜のことを、すぐに思った。もしや、あの夜のことで……そう思うと、すべてが煩わしいことに思えて、とっさに、

「これは、私自身の夢の話ではない。さる人の夢のことを話して聞かせたまでだ。されば、事の帰趨《きすう》が公けになるまで、この占を決して口外してはならぬ」

と口止めをした。そうして、これはどう考えても、あの一夜のことにちがいないと懊悩しているところに、藤壺の懐妊ということが知らされる。源氏は、もしやそういうことも……と心配していたことを思い合わせて、居ても立ってもいられぬ思いで、切々たる言葉を尽くし、もう一度お目にかかりたいと文を書き、命婦に頼み込んでみるが、命婦も、こういうことになった以上は、まことに冥加《みようが》の程もおそろしく、またとてもとても、ことは面倒を極めたことになったと思って、どうしても源氏のいうことを聞き入れない。以前は、ごくごくたまには、たった一行ばかり、通り一遍のお返事くらいは藤壺から頂戴できることもあったのだが、それもばったりと絶え果てた。

七月《ふみづき》になった。

藤壺は久しぶりに参内した。帝は、ほんとうに久しく見なかった藤壺の姿に、ご懐妊のこともあってか、ますますご寵愛《ちようあい》深いこと限りがなかった。見れば、藤壺は、お腹《なか》のあたり、すこしふっくらとして、しかし、つわりのせいで顔は痩《や》せてしまっている。その容姿はまた、比類なく美しいのであった。

されば、帝は、明けても暮れても藤壺のところにばかりお出ましで、管弦の楽の催しをするには好適の季節になったことでもあり、源氏にも、絶えずお召しがあって、琴、笛、などさまざまの楽器を演奏するようにご下命がある。源氏は、懸命に平静を装っているのだが、それでも、そういう管弦の催しなどに藤壺と顔をあわせたりする折々は、いとしさが堪《こら》え切れずにふと表情に出てしまったりする。すると、藤壺のほうでも、さすがに忍びがたいさまざまの思いが心に去来しているようであった。

北山の尼君、按察使大納言邸へ帰る。源氏、尼君を見舞って、少女の声を聞く

あの山寺の尼君は、いくらか病状も良くなって、北山から京に戻ってきていた。その京での住み家をさがし当てて、時々は源氏から手紙などが到来したのは、例の姫君のことなのだが、尼君としては、いつも返事の変わりようもなかった。

しかし、この幾月かは、ますます錯綜《さくそう》する藤壺との一件での懊悩のゆえか、北山の姫のことまでは思いが及ばなかったとみえて、しばらく手紙も途絶えがちに、日々が過ぎていった。

秋も末の九月《ながづき》、源氏は、ひどく心細い寂しい思いにかられて、ため息ばかりついていた。そこで、月の美しい夜、お忍びのさる通い所に、ひさしぶりに思い立って通ってみることにした。

時雨《しぐれ》のような寒い雨の降る夜であった。

通っていく先は、六条京極《きょうごく》のあたりゆえ、内裏からはいささか遠い感じがするうえに、途中には、なにやら荒れ果てた邸が、鬱蒼《うっそう》と茂る木立に囲まれて静まっている、暗澹たる風情のところがある。

いつもこういうときのお供をする惟光が、

「あれは、故按察使《あぜち》の大納言の邸でございます。先日、ちょっとしたついでがございまして、立ち寄ってみましたのですが、例の北山の尼君が、いよいよ重病で弱っておいでで、もう心配で何もできずにおります……と、あの少納言とやらいう女房が申しておりました」

と言う。

「それはまことにお気の毒なことだね。そういうことなら、お見舞いを申し上げたいところだったが、どうして、そなたは、すぐに報告しなかったのかね。では、すぐにでもお見舞いしたいので、さっそくにその旨申し入れて案内を乞《こ》うがよい」

源氏はそのように命じる。惟光は即座に人を遣わして申し入れた。

「源氏様には、ただいまお見舞いにお越しでございます」

女房たちは慌てて、

「まあまあ、それは弱りました。この頃、尼君はすっかりお弱くなられまして、お目にかかるなど、とてもとても……でも、まさかこのままお帰し申し上げるなどと恐れ多いことも致し兼ねますゆえ……」

と申しわけをしながら、南の廂の間《ひさしのま》をにわかごしらえにしつらえて、源氏をそこに案内した。

「たいそう見苦しいところでございますが、せっかくのお見舞いゆえ、せめてものお礼だけでも申し上げたいと尼君が申しますので、いきなり、かかる鬱陶《うっとう》しいところに……恐縮至極に存じます」

案内に出た女房はそういってかしこまる。なるほど、このように鬱蒼たる木々に覆われた座敷は、あまり来たことがない、と源氏は思った。

取り次ぎの女房に、源氏は、

「常々お見舞いに伺いたくは存じおりましたが、消息を差し上げても、いつも甲斐のないおあしらいばかりでございましたので、つい遠慮のみ申しておりました。ご病状のことは、それほどまでに重《おも》りあそばしましたことも承っておりませんでしたこと、まことに迂闊《うかつ》でございました」

など、こまごまとお見舞い言を託した。

「気分のすぐれませぬことは、いつものことでございますが、いよいよもう命の限りかという状態になってまいりまして、このようにありがたくもお立ち寄りいただきましても、とても直接のご対面が叶いませぬこと残念に存じます。例の仰せごとにつきましては、もし万一にもお気持ちのほどが変わらぬようでございましたら、あと数年も経ち、ほどよい年齢になりましたら、必ず必ずお目をおかけくださいますように。かかる状態で、あの姫をたいそう心細い身の上のままにしておきますことが心残りにて、わたくしの後世《ごせ》往生の障《さわ》りともなろうかと存じおりますところでございます」

と、尼君からは、そのように返事があった。

しかし、実際に尼君はほんのすぐ近くに臥せっているので、心細げな声で、取り次ぎの女房に話しかけるのが、息も途切れがちに聞こえてくる。

「それにしても、……もったいないことですね、あの……姫が……自分で、源氏さまに……お礼を申し上げることが……できるほどの、お年ごろであったら……よかったのに」

源氏はこの声を感慨深く聞いた。

「浅はかな思い付きの好色ずくな振舞いなど、どうしてお目にかけることがございましょう。わたくしの姫君に対する思いは、おそらく前世からの因縁があったのではなかろうかと思うくらい、見初《みそ》め申し上げた時から、ただひたすら素晴らしいお方だと思っておりましたこと、自分でも不思議に思うのでございます。それはもはや、この世ばかりか、来世までのご縁ではないかと、思っております」

そう言ってから、源氏はさらに言葉を継いで、

「あ、せっかくこうして参りましたものを、このまま失礼してはあまりにも参った甲斐がございません。……もしできますなら、あのかわいらしいお声など、ただ一声なりとも、お聞かせいただくわけには、まいりませぬか」

と、こんなことを申し入れた。女房が応《こた》える。

「いえ、それが、なにもご存じないようなご様子にて、もうきょうはお寝《やす》みになっておられます」

そう答える折も折、向こうのほうから人が来る音がして、かわいらしい声が聞こえた。

「ねえ、おばあさま、北山のお寺にいらした源氏の君がお出でくださったんですって。なのに、どうして、お目にかからないの」

あの姫君の声らしい。これには近侍の女房たちも、ひどくばつの悪い思いをしているとみえて、

「お静かに……」

と制止する声が聞こえる。

「でも、源氏の君にお目にかかったら気持ちの悪いのも治まったわ、ってこの前おばあさまがおっしゃっていたもの」

姫は、自分は良いことを聞き知っているんだもの、と思って得意でこう言うのであった。

源氏は、この姫の無邪気な口ぶりを聞きながら、かわいいなあと思ったが、間《あいだ》に立って、女房たちは困惑しているらしい様子なので、いっそ聞いていなかったことにして、もっともらしくまじめくさったお見舞いの言葉などを言い置いて帰っていった。

その道々、源氏は、〈なるほど、あれはまだ取るに足りない幼さのようだが、でも、よ

く よく教育してみたいものだ〉と思う。

尼君の重病と死

また翌日にも、源氏は、この邸をまじめらしく見舞いに訪れる。そしてまた、例の、姫君あての小さな結び文を同封した尼君宛の文をまず届けさせた。その結び文には、こんな歌が書いてあった。

「いはけなき鶴《たづ》の一声聞きしより
葦間《あしま》になづむ舟ぞえならぬ

まだ幼げな鶴の一声を聞きましてから、葦の間を行き過ぎがたく漂っております舟は、言うに言われぬ物思いをいたしております

『同じ人にや』という思いにて……」

源氏は、「堀江漕《こ》ぐ棚《たな》なし小舟《をぶね》漕ぎ返り同じ人にや恋ひわたりなむ（あの難波の堀江を漕ぐ小さな舟が行き返りまた行き返りするように、私は同じ人に恋慕しつづけることになるのでしょう

か)」という古歌を引いて、姫君に対する変わらぬ恋情を仄めかしたのであったが、それをいかにも子ども向けの文字で書いて見せ、それまたきわめて見事な筆であった。

「まあ、これはこのままお手本になさいませ」

と女房たちは勧めなどする。

すぐに返事が返ってきたが、これは、乳母の少納言が書いたものであった。

「お見舞いくださいました尼君は、今日一日ももちこたえ難いほどの容体《ようだい》にて、最期《さいご》の時を迎えに、山寺までこれから参りますところでございます。このほどご親切にお見舞いくださいましたお礼は、この世ならぬところからでも申し上げることにいたしましょう」

というのであった。源氏は、おいたわしいこと、と思う。

秋の夕方はそうでなくても人恋しいものだが、まして源氏の心は、絶え間のない恋しさに惑溺《わくでき》しているあの藤壺の御方のことが念頭を去らぬゆえ、無理やりにでも、藤壺にゆかりある人を求める気持ちが募るのであろう、姪に当たるあの姫君への思いはいやましになってゆく。それにつけても、あの北山で初めて姫を見た折に、尼君が「生ひ立たむありかも知らぬ若草をおくらす露ぞ消えむそらなき」と詠んだ、あの夕べのことなどもまた、彷《ほう》彿《ふつ》と思い出されて、姫君が恋しくもなり、また、じっさいに手元に置いてみたら欠点なども見えて期待はずれということもあるかもしれない、とさすがに些《いささ》かの不安も覚える源氏であった。そしてこんな歌を詠んだ。

手に摘みていつしかも見む紫の
根にかよひける野辺の若草

この手に摘んで、いつかは親しく相見たいと思うのは、
あの紫色の藤……の御方の根のちかくに萌え出ずる野辺の若草なのですよ

これよりして、この姫君を紫の君と呼ぶ。

十月《かんなづき》に上皇御所朱雀院《すざくいん》へ、桐壺帝《きりつぼ》が行幸《ぎようこう》遊ばされるということになった。そうなると、舞人《まいびと》なども、高貴の家柄の子弟たち、上達部《かんだちめ》、殿上人《てんじようびと》たちなどのなかから、それぞれの技芸の名手をとりどりに選抜してご同行になる決まりである。そこで、親王がたや、大臣たち以下、みな各自の才ある技芸を稽古《けいこ》するので忙しくなった。

北山の尼君にも、そんなわけで、久しく音信《おとずれ》もできずにいたのを源氏はふと思い出して、ことさらに文の使いを遣わしたところ、僧都の返事だけが返ってきた。

「去る九月《ながづき》の二十日のほどに、ついに空しくなりましたのを看取《みと》りまして、世間の道理ながら、悲嘆の物思いをいたしております……」

とあるのを読んで、源氏は、この世の儚《はかな》さをつくづくと思いながら、あの尼君がずっと気がかりに思っていた紫の君はどうしたろうか、まだ幼い年ごろだったから、さぞ尼君を恋しく思っているだろうと、自分もまた幼くして母桐壺の御息所《みやすんどころ》に先立たれたことなどを、ぼんやりと思い出し、懇篤に見舞いの手紙などを送った。このたびも、紫の君自身からの返事は来ず、またあの少納言が、風情ゆたかな返事をよこした。

源氏、帰京した紫の君のもとへ訪れる

やがて尼君の忌みの三十日間も過ぎて、紫の君があの京の荒れ果てた邸に帰ったと聞いたので、源氏はしばらくしてから、閑暇《かんか》の夜に、みずから出向いていった。

ひどくぞっとするほど荒れた所で、人気《ひとけ》も少なく、こんなところにいては、あの幼い君はきっと怖がっているだろうと思われる。いつぞや通された、あの南の廂《ひさし》の間にこのたびも案内されて、少納言が、尼君臨終のありさまなど、嗚咽《おえつ》をもらしながら話しつづけるう

ちに、これは他人事《ひとごと》ながら、源氏はついもらい泣きに袖を濡《ぬ》らした。

「姫君は、尼君亡きあと、御父兵部卿の宮家のかたへお渡ししなくてはならないというように伺っておりますが、亡き母君には、宮の正室北の方のお仕打ちをひどく情《なさけ》ないものと思い申しておられましたので、……姫君は、まったくの幼児ということでもございませんが、さりとてまだほんとうに人のお考えなどもきちんとは理解できませぬ、いわば中途半端なお年ごろにて、あの宮の、たくさんおいでのお子たちのなかに、侮られやすい脇腹の子として立ち交じるのは、とてもかわいそうで……、と亡くなられました尼君も、最後の最後まで心配して嘆いておられました。尼君のお嘆き、さもありなんと思われるような事例はたくさんございます。……そういうなかに、源氏さまのかたじけないお言葉は、もしやかりそめのお言葉かもしれぬとは思いながら、後々《あとあと》にどうお思いくださるかまでは深くも考えませず、……こういう折からでございますので、嬉しいなどと申すのは不謹慎ながら、やはり嬉しく……、とは申せ、せっかくそういうお言葉を頂戴しながら、姫君はすこしもお似合いのご様子ともなられず、実際のご年齢よりも、むしろ子どもっぽくていらっしゃいますので、まことに困惑いたしております」

少納言はこう物語った。

「なぜでしょうか、どうして、繰り返し繰り返し申し上げているわたくしの心のほどを、そのまま受け取ってもくださらず無用のご遠慮ばかりなさるのでしょうか。そのたわいもないありさまが、むしろ愛らしくて心惹《ひ》かれるように思いますのも、おそらくは前世からの因縁であろうなと、我ながら思い知ったところなのです。この上は、人づてでなくて、直接お目にかかってわたくしの気持ちをお話ししたいものです。

あしわかの浦にみるめはかたくとも
こは立ちながらかへる波かは

あの若い葦の生えている浜辺にあるという海松《みる》ではないけれど、直接に逢い見ることは難しいとしても、それでも、あの立っている波のように、私は立ったまま空しく帰ることがありましょうか、いいえ、決して……


いくらなんでも、立ったまま帰すなど、それはひど過ぎる仕打ちではございませぬか」

源氏は強い口調になった。

「恐れ入りましてございます。仰せの通りでございました」

少納言は恐縮しながら、気丈に源氏の歌に答える。

「寄る波の心も知らでわかの浦に
玉藻《たまも》なびかむほどぞ浮きたる

そう仰せになりましても、寄せ来る波のようなお方の心も知らぬままに、
若い姫君さまが、和歌浦に玉藻が靡《なび》いているように、ふらふらと靡いては、
いかにも頼りないことでございます

やるせないことにて……」

この少納言の返答ぶりはなかなか堂に入ったもので、源氏は、まあこれなら許してやろうかという気になって、

人知れぬ身はいそげども年を経て
なぞ越えざらむ逢坂《あふさか》の関

誰にも知られぬように、この身は急いで通っていく。そうやってもう何年か経ったなら、
どうして越えられないことがありましょうか、君に逢う、逢坂《おうさか》の関を

と、知られた古歌「人知れぬ身はいそげども年を経てなど越えがたき逢坂の関（人知れ

ず通ってゆくわが身は心せくけれども、どうして越えることができないのだろう、逢うという恋の関を)」を替え歌にして、これを朗々たる美声で詠唱してみせた。その声、その姿、若い女房たちはぞくっと鳥肌の立つ思いがするのであった。

折しも紫の君は、亡くなった尼君を恋しがって泣き伏していたが、遊び相手の女《め》の童《わらわ》たちが、

「ねえ、直衣《のうし》を着た方がおいでになってるでしょ、父宮さまがおいでになってるみたい」

と言う。紫の君はぱっと起き上がって、

「少納言、少納言、直衣を着た方がお出でって、どこに? お父さまがいらっしゃったの」

と近づいてくる声がまたたいそうかわいらしい。

「あいにくだね、私はその父宮ではないけれど、でもお父上と同じように睦《むつ》まじく思って頂いてよいとおもうのだよ。さ、こっちへいらっしゃい」

と源氏は紫の君を呼んだ。

〈あ、あのすてきな源氏さま……〉と姫君は幼心にも聞き分けて、〈しまった、父宮だな

んて、まずいこと言ってしまったわ〉と思い、ばつが悪いので、乳母にすり寄っていって、

「さ、いきましょう。もう眠いから」

と逃げようとする。

源氏はさらに紫の君に近づいていく。

「今さら、どうしてそのように逃げ隠れしようとするのかな。この私の膝《ひざ》の上に寝たらいいだろう。だから、もすこしこっちに寄っていらっしゃい」

しかし、姫はじっと動かない。

「そう仰せになられましてもね、まだこんなに何もご存じないほどの幼さでございますから……」

と言いながら、乳母は、紫の君の体を、源氏のすぐそばまで押しやった。そうなっても姫君は男女のことなどなにも知らないので、ただぼんやりと座っているばかりだった。

源氏は、廂《ひさし》の間《ま》と母屋《もや》を隔てる御簾《みす》のすぐ向こうに紫の君が座っているのを感じて、その御簾の内側にずいと手を差し入れ、その体を探ってみた。

着馴れてやんわりとした衣に、髪はつやつやとかかって、その毛先のふさふさしたあた

りまでぬかりなく探り当てる。源氏は、その髪のすべてを撫でさすりたいようないとしさを覚えた。おもわず、源氏は、紫の君の手を捉《とら》えた。

姫は驚く。いかに源氏であろうとも、子ども心にはうとましく見慣れない人が、こんなに図々しく近づいてきたのは、ともかく恐ろしい。

「寝ようって言ってるところなのに」

と言いながら、紫の君は帳台に隠れようとした。すると、源氏は離れようともせず、そのまま母屋にまで入ってきた。

「よいか。今はね、私が尼君の代わりに、そなたをかわいがって上げる人なのだからね。だから、そんなに嫌《いや》がるものではないよ」

驚いたのは乳母であった。

「まさか、とんでもございません。あまりのことに存じます。どんなにお言い聞かせくださいましても、いっこうに聞かせ甲斐のないことでございますからね」

と困却しきっている。

「そうおっしゃいますが、こんな幼い子どもを、いくらなんでも私がどうするとお思いなのでしょうか。私はただ、世にもたぐいのない深い愛情のありようを、ちゃんと見届けていただきたいだけです」

外には霰《あられ》が降り荒れて、ぞっとするような夜の様相であった。源氏は、

「よろしいですか。かかるものすごい夜に、どうしてこんな人も少ないところで、心細い思いをして過ごしているのですか」

そこまで言うと、源氏はさめざめと泣いた。とてもこのまま姫を見捨ててはおかれぬ、そんな夜であった。

「格子戸を下ろしなさい。こんな薄気味悪い恐ろしい夜のありさまのようだし、私が宿直《とのい》人《びと》としてここに詰めることにしましょう。さ、皆さん、もっと姫のお近くにおいでください」

などと言って、源氏は、まったく馴れ馴れしい様子で帳台《ちょうだい》のなかにまで入ってしまった。まさかこんなことになろうとは、誰も想像だにしていなかったので、呆れて、皆、ただもう呆然《ぼうぜん》たる思いでそこに控えている。

乳母は、〈これは困った、なんという気の許せない、道理に外れた振舞いか〉と思うけれど、といって、大声を上げて事を荒立てるというわけにもいかない。しかたなく、みな、ただただため息をついてそこにじっとしているばかりであった。

姫君は、もう恐ろしいばかりで、いったいなにがどうなっているのかと、ぶるぶる震えている。そのため、たいそう愛らしい肌にもぞっと粟立《あわだ》つ思いがしているのを、源氏は、かわいいものだと思う。そうして、単衣《ひとえ》ただ一枚だけで姫君の体を押し包んで、我と我が身ながら、〈いくらなんでもちょっと非常識かもしれぬ〉とは思わぬでもないが、それでもしみじみとした調子で、そっと語りかけるのであった。

「さあ、私のところへいらっしゃい。おもしろい絵なんかもたくさんありますよ。お人形の遊びなんかもするところにね」

などと、いかにも女の子の喜びそうなことをあれこれ言ってみている様子は、やっぱり優しそうに感じられて、幼心にも、〈そんなに怖くないかもしれない〉、とは思うのだけれど、といって、気を許すわけにもいかないので、寝るにも寝られず、紫の君は、ただただもじもじして臥《ふ》しているしかなかった。

その夜は夜通し、嵐が吹き荒れた。女房たちは、

「ほんとうに、こんな恐ろしい夜に、こうして源氏さまがいらしてくださらなかったら、どんなに心細いことだったかしら」

「いっそのこと、姫君が源氏さまとお似合いのお年ごろであったらよかったのに」

などと囁きあった。乳母は、何が起こるか心配でならないので、紫の君の閨《ねや》の間近《まぢか》にひたと付き添っていた。

風が少し止んだので、源氏は、まだ夜深《よぶか》いうちに帰ろうとする。その様子は、いかにも何かことがあってのご帰還というような感じではなかったろうか。

「かねて、まことにお労《いたわ》しく思っておりました姫のご様子でしたが、こうなりました今よりは、まして四六時中気になってしかたないだろうと思います。かくなる上は、私が独りで明けても暮れても物思いをしている邸へお連れ申しましょう。こんな恐ろしげなところにいるのはいかがなものでしょう。よくもまあ、怖《お》じ気《け》づかずにお過ごしになっていたものです」

と源氏がいざなうと、乳母はこんなことを答えた。

「姫様については、父宮のかたからもお迎えに、とのお申し入れもございますようですが、尼君の四十九日の法要を済ませてから万事は、と思っております」

「いや、兵部卿の宮のかたは、たしかに頼もしいかもしれないが、いままでずっと別々に過ごしてこられたからには、親しみが薄いという意味では、私と何も変わりありますまい。私は、今夜はじめて姫にはお目にかかったのだけれど、志の浅からぬことは、父宮よりもきっと勝《まさ》っていると思うのです」

そんなことをかきくどきながら、紫の君をやさしく撫でたりなどしつつ、後《あと》を振り返り振り返りして源氏は出ていった。

源氏、帰途に、密かに通う女のもとに立ちよる

外に出ると、一面の霧である。その冷ややかな空の風情《ふぜい》もさることながら、そこにさらに霜までも真っ白に置いて、かかる道の景色は、こんな子ども相手ではなくて、まことの懸想人《けそうびと》に通《かよ》っての後朝《きぬぎぬ》だったら、もっと趣を感じたかもしれないと、源氏は、やや物足りない気分も覚えずにはいない。

そういえば、帰る道すがらに、ほんとうにお忍びで通っているさる女の家があったことを、源氏はふと思い出して、ついでのことに、供人を遣わして、その門を叩かせた。けれども、誰も出てこない。

仕方なく、源氏は、お供のなかで、とりわけ声の良い者を選んで、一首の歌を朗詠させ

てみた。

朝ぼらけ霧立つ空のまよひにも
行き過ぎがたき妹《いも》が門《かど》かな

この白々明けに、霧が立って空の様子も怪しいようだから、
このまま行き過ぎにくいぞ、お前の家の門《かど》を

こんな艶冶《えんや》な歌を二回繰り返して歌わせて、あわよくば、その女のところで一休みしたいと色気を見せたのだが、やがて、門のうちからは、なかなか風雅の方面の心得などもありそうな下仕《しもづか》えの女が出てきて、

立ちとまり霧のまがきの過ぎうくは
草のとざしにさはりしもせじ

そうしてそこにお立ち止まりになって、この霧の立ちこめる籬《まがき》のあたりを通り過ぎにくいと仰せなら、どうぞ遠慮なくお入りください。
こんな草が茂っているとて門口を通るのに差し障りともなりますまいに

と、こんな意味深長《いみしんちょう》な歌を詠み返して、そのままきっと奥に引っ込んでしまった。さては、誰か案内のものが出て来るかと、源氏は期待して待ったが、だれも出てこない。どうもこのまま帰るというのも索漠《さくばく》たる気分だけれど、といってだんだん空も明るくなってきてしまっては、誰に見とがめられぬとも限らない。しょうがないのでそのまま二条の邸へ源氏は帰ってきた。

それから、終始またあの紫の君のかわいらしかった面影を恋しく思い出しては、独りニヤリニヤリとしながら、閨に入った。

もうすっかり日が高くなったころ、源氏は起きて、あの紫の君に手紙を書くことにしたのだが、さて、この場合は、あの子どもが相手で、閨を共にしてのちの後朝《きぬぎぬ》の文というわけにもいかず、ずいぶんと勝手が違うので、さすがの源氏も書きあぐねて筆を放り投げたりしている。しかたないので、子ども向けに、面白い絵などを描いて送ったのであった。

兵部卿の宮の訪れ

姫君の邸には、ちょうどその日、父君の兵部卿の宮がやってきた。尼君の逝去後はまた一段とひどく荒れまさって、がらんとして忘れられたような邸が、ひどく人も少なくなって寂しい感じがする。宮はそのありさまを見渡して、

「こんな気味悪いところに、どうして、あの幼い姫が安心して住んでいられようぞ。これでは、さっそく私の本邸のほうに移してやらなくてはならんな。いずれ、どうという気の置けるところでもないし、乳母にも局《つぼね》を与えて住まわせることにしようか。あちらの邸には、子どもたちもたくさんいることだから、姫の遊び相手にもよろしかろう。きっと楽しくやっていけるだろうし」

と、こんなことを言いながら、宮は姫君を呼び寄せてみる。すると、あの源氏の衣の移り香が際《きわ》やかに染《し》みついているのが分かった。

「おや、すばらしい匂いがするね。衣はそんなにしわしわになってしまってるのに……」

と、宮はこの移り香が源氏の袖のそれとも思わず、そんな萎《な》えた衣に香を薫《くゆ》らせている

姫の姿を痛々しく思っている。

「ここ何年と、病気がちで歳も取り過ぎている人と一緒に過ごしているのはどうかと思うから、わが本邸に移って、そこでみなと馴染《なじ》んだらよいと何度も申し入れたのに、どういうものかこちらを疎《うと》んずるばかりでね、あれでは本邸の北の方だって不愉快に思うのが道理だ。とは申せ、尼君が逝去されて悲しみの最中に、こちらに移れというのも、なにやらかわいそうだし」

宮はそういって決しかねている。

「どういたしまして。どんなに心細くても、もう少しこちらのお邸でこのままお過ごしになられましょう。何年かの後に少しは物心がおつきになってから、ご本邸のほうに移られるのがよろしゅうございます」

乳母は、姫を宮の本邸のほうへはやりたくないのだ。

「姫君は、夜となく昼となく、亡くなられた尼君を恋しがっておいでございまして、召し上がりものなども、さっぱり……」

なるほど、姫君はひどく面《おも》やつれしてしまっているが、それでも貴《あて》やかでかわいらしく、却《かえ》って風情が感じられるほどである。

「姫、どうしてそんなに悲しいのかね。もう、この世にいない人のことは、いくら嘆いても仕方ないでしょう。さあさあ、私がいるから泣くのではないよ」

などと、宮は一生懸命に慰めるが、これで父宮も日が暮れるころには帰ってしまうのかと思うと、それが心細くてまた泣いている。宮ももらい泣きをして、

「もうね、そんなに思い詰めるものではないよ。今日か明日にでも、本邸のほうへお迎えするから」

など、言葉をつくして宥《なだ》めすかし、やっと帰っていった。

父宮が居なくなってしまうと寂しさも一入《ひとしお》で、姫君は、また慰めるすべもないくらい、さめざめと泣き続けた。それは将来がどうなるだろうか、というようなことを不安がって泣くのではない、ただただ、ずっと側を離れることなく一緒に過ごしてきた尼君が今は亡き人となってしまったことを思うと、それが悲しくて泣くのである。それで、幼い心ではあるが、その胸は悲しみに満ち、いつものように遊ぶということもしない。

昼のうちは、それでもなんとか紛らしようもある。しかし、夕暮れともなると、ひどく鬱々としてしまうので、

「これでは、この先どうしてお過ごしになれましょう」

と、乳母や女房たちは、どうにも慰めかねて、姫と共に泣きあったことであった。

源氏、惟光をさし向ける

昨夜は、あのように強引なやりかたで、源氏は事実上の結婚にあたるような振舞いをしてみせた。まだ子どもの紫の君を犯すようなことこそしなかったものの、閨にまで入り込んできて、その体を抱けば、なんとしてもただならぬ関係だと、傍《はた》からは見えるに違いない。

結婚となれば、三日の間はたしかに続けて通わなくてはならぬ習わしであったけれど、果たして、二日目の夜の今宵、源氏の御入来《ごじゅらい》を待ちかまえていた少納言は、とんだ肩透かしを食わされた。

源氏は来ない。その申し開きのために、源氏は惟光を遣わして、いささかおざなりなる伝言を伝えさせたに過ぎぬ。

「私自身が参り来るべきところながら、あいにくと内裏からお召しがありまして……。ご様子のほどは、昨夜来、おいたわしく拝見いたしましたので、いかにしても心にかかっております」

次に、源氏からは、身代わりというつもりであろう、宿直人《とのいびと》としてさしたることもないような男を送ってよこした。

少納言は憤激する。

「なな、なんという情ないなされようでございましょう。いかにお戯れだったにもせよ、婚儀の初めの三日通いの作法の二日目から、もうこのお仕打ちとは。こんなに軽く扱われたことが父宮様のお耳に入ろうものなら、わたくしども近侍の者共の仕えようが疎《おろそ》かであったと、きつくお叱りを頂戴いたしましょうぞ。されば皆様、神懸けて、なにかの弾みにでもこのことを口に出したりなさいませぬように。よろしいですね」

女房たちはみな憤慨しているけれども、肝心の紫の君が、なにのことやらさっぱり了解していないらしいことは、あきれるばかりであった。

少納言は、惟光に向かって、あれこれと悲しい物語をして、

「この先、何年かを経て後には、そうなるべきご宿縁があるのかもしれません。でも、ただいまは、なんとしても似合いのご縁とは思われませぬ。それなのに、源氏の君の理解しがたいほどのご執心と、熱心なお申し入れ、それはいったいどんなご本心からのおっしゃ

りようなのか、わたくしにはさっぱり思い付くところもございませんで、ただもう思い乱れるばかりなのでございます。今日も父宮様がお見えになって、『姫宮に気がかりのないようによくお仕えせよ。決して軽々しい持て扱いはするでないぞ』と仰せになりましたものですから、さようにご注意を頂戴する以前にくらべますと、昨夜のあいうことも、ほんとうに気がかりなことであったと、改めて思い出されますので……」

と愚痴をこぼしながら、〈ああ、この惟光どのに、昨夜、源氏さまと姫君に、いい、そのことがあったと思われては一大事〉と思い、そんなのは、それこそ不本意なことだと思って、昨夜のことも、敢《あ》えてそれほど強く嘆かず、さりげなく持て扱うのだった。

この愚痴ともつかず、注意ともつかぬ少納言の言い草を聞いて、惟光は、〈さてさて、昨夜は、いったいどういうことになったのであろうか〉と、なにやら合点のゆかぬ思いがする。

惟光は、二条の邸へ帰って、源氏におおかたの様子を報告すると、源氏として、紫の君のことは、〈やはりあのままではかわいそうだ〉と感じるにつけて、〈さてさて、あのように通ってみせるというのも、さすがにはしたない感じもするし、また、うっかりすれば、軽々しく奇矯《ききよう》な行動だと世間の噂になるやもしれぬ、それも困る……、それならいっそ、さっさと手元に引き取ってしまうことにするか〉と思う。

源氏は、そこで、みずから通いこそしなかったが、手紙はしきりと書き、また日が暮れると、名代《みようだい》として惟光を遣わすのであった。

その文面には、

「……いろいろと差し障りが多くて、なかなか伺えないのを、疎《おろそ》かなこととお思いか……」

など細々《こまごま》と書いてある。しかしながら、少納言は、

「兵部卿の宮様から、明日急にお迎えに、と仰せですので、今は気ぜわしいばかりで、年来住み慣れたこの草深い邸も、いざ離れるとなると、さすがに心細く、私どももお側仕えの者たちも思い乱れております」

などと口数も少なく返答するばかりで、ろくなあしらいもしない。そして、女房衆はみな、着物を縫ったりなどいろいろ忙しくしている気配をみて、惟光は引き上げてきた。

源氏、紫の君を奪い去る

源氏は、左大臣邸に来ている。しかし、例の通り、正室たる葵上は、すぐに対面すらし

ようとしない。源氏はそのことをまことに面白からず思って、六弦の東琴《あずまごと》を弾き流しながら、

常陸《ひたち》には　田をこそ作れ
誰をかね　山を越え、野をも越え、
君が　雨夜《あまよ》来ませるや

常陸では、田を作るのに忙しい、
それなのに、誰を目当てに、山越え野越え、
あなたはこんな雨の夜にやってきたのやら

という田舎の民謡を、これまた良い声でくちずさんでいる。こんな思いをしてやってきたのに、あなたは、「なにしに来た」という態度だね、と、当てこすったのである。

そこへ惟光がやってきた。源氏はさっそくに近く召し寄せて、首尾を尋ねた。

惟光は、これこれしかじか、と今日明日にも兵部卿の宮があの姫を迎えに来るらしいということを報告すると、万一にもそんなことになっては残念至極、宮の手に渡ったならば、そこから改めて迎え取るというのも、いかにも色好みめいていけない。きっと、幼い

姫を盗み出したと、非難の的になるだろう。……されば、そういうことになる前に、秘密裏に、また皆々に固く口止めをして、さっそくにもこちらに連れてきてしまおうと、源氏は決心した。

「よいか、暁の闇に紛れて、あちらに行くぞ。車の支度はそのままにして、随身《ずいじん》一、二名を待機させよ」

惟光は、了解してすぐに立っていく。

源氏は、心中にあれこれと考えている。

〈はてさて、どうしたものであろう。このことが世間に漏れれば、好色でみだりな振舞いと評判が立つだろう。せめて、姫が人並みに恋の道理なども弁《わきま》えた年齢で、あちらからも心を通わせての上で決行するのであれば、まあ世間にはままあることだ。……が、今度はそうもいかぬ。万一、父宮がこのことを探り当てたとしたら、それもまた、いかにもきまり悪く、また道理の立たぬことにちがいない……さてどうしたものか……〉

と、かれこれ思いは乱れる。

しかし、そういう無用の物思いに時宜《じぎ》を外《はず》しては取り返しがつかぬ、とばかり、まだ深夜の頃に邸を滑り出《い》でる。このありさまに、葵上は、ますます鬱陶しい表情をして、不機嫌な様子である。

「二条の邸に、どうしても外せない用事があったのを思い出しました。今より行ってきますがすぐに戻ります」

などとごまかして、大急ぎで出て行ったので、源氏はどこへ何をしに行ったのか、女君の側仕えの女房たちもまったく知らなかった。

源氏は自室にて外出用の直衣《のうし》に着替え、惟光ばかりを馬に乗せて、出て行く。

紫の君の邸に着いた。門を叩かせてみると、何の心得もないような下仕《しもづか》えの者が戸を開けた。源氏は、車をそろりと引き入れさせると、さっそく惟光が邸に上《あが》って、開き戸をこつこつと叩き、咳払《せきばら》いなどしてみせる。この声に少納言は聞き覚えがあったので、すぐに出てきた。

「ここに源氏の君がお出でてでございます」

惟光の言うのを聞いて、少納言は訝《いぶか》しむ。

「姫君はもうお寝《やす》みになっておられますが。いったいどうしてまた、こんな夜深《よぶか》くに、お出ましでございますか」

少納言は、源氏はどこぞの女の家からの帰りがけにでも立ち寄ったと思っているらしい。源氏は単刀直入に申し入れた。

「姫君には、父宮のかたへお移りになるやに承りましたが、その前に申し上げておくことがございますので」

「さて、何事でございましょう。こんな深夜でございますから、姫君もさぞや、はっきりとしたお返事を申し上げることかと、ほっほっほ」

少納言は、声を上げて笑いながら、そんな戯《ざ》れ言《ごと》を返した。

源氏は、かまわず入っていく。少納言は困惑して、

「こんな夜でございますから、みっともない年寄女房どもが、気を許して寝穢《いぎたな》く寝ておりますほどに……」

と制するけれど、源氏はそんなことにはかまわない。

「姫君はまだ目を覚ましてはおられまいな。さてさて、それでは、私が起こしてまいりましょう。こんな美しい朝霧を知らずに寝《ね》呆《ぼう》けているなんてことがあるものかな」

と言って、ずいと閨に入った。少納言が「あっ」と言う間もなかった。紫の君は、何《なに》心《ごころ》もなく熟睡している。源氏はすぐに抱き起こして、目を覚まさせる。姫君は、目覚める

とびっくりして、てっきり父宮様がお迎えに来てくださったと、寝ぼけた頭で思っている。その豊かな黒髪を掻き撫でなどしつつ、源氏が、

「さあ、いらっしゃい。宮からのお使いで参りました」

と言うのを聞き、それじゃ父宮様じゃなかったのか、とびっくりして、また急に怖くもなる。

「ああ、そんなに怖がるものではないよ。私も父宮と同じようなものだからね」

と言いざま、紫の君をさっと抱き上げて外へ出ていく。これを見ては大輔《たゆう》、少納言などの女房たちも、慌てて、

「もし、も、もし、これはなにをなさいます」

と引き止めようとするが、源氏は聞かない。

「このお邸には、そう頻繁に参上することもできぬことが気がかりでならぬから、まずは姫君を安心なところへお移ししたいと申し上げておいたのに、聞けば嘆かわしいことに父宮のかたへお移りになるとやら、そうなってしまっては、何事も申し上げにくくなることゆえ、私のほうへお連れ申します。だれか近侍の者一人、供に参られよ」

源氏は有無を言わせない。少納言もすっかり慌ててしまって、

「今日のただいまというのは、あまりにも不都合でございます。明けて、父宮様がお出で遊ばしましたら、なんとお答えしたらいいのでしょうか。こんな無体《むたい》なことをなさいませずとも、いずれ時を得れば自然に、そういう機会もございましょうから、そしたら、わたくしどもでもどうにでもさせていただきます。こんな思案する間もないような、うちつけのなされようは、お仕えするわたくしどもも立つ瀬がございません」

と懇願するが、源氏は冷厳に言い放った。

「来ないのか、それならよし、女房衆は、あとからでも参るがよい。姫はお連れしてまいる」

早くも源氏の車が勾欄《こうらん》に引き寄せられる。女房たちは驚き呆れて、さあどうしよう、どうしようと、困惑を極めている。紫の君も、なにが起こったのかと思って、泣き出してしまった。ええい、こうなれば仕方がない、少納言は、昨夜縫い上げた姫の御衣《おんぞ》などをひっつかむと、自分も適当な衣に着替えて、車に乗り込んだ。

そこから二条の邸までは近い。まだ明るくもならぬうちに、早くも車は到着する。その西の対に車を引き寄せて源氏は降り、姫君の小さな体をかるがると抱き下ろした。少納言は、まだ車から降りずにいる。

「なんだか、どうしてもまだ夢のようでございます。はてさて、どういたしましたら……」

そんなことを言って躊躇《ためら》っている。

「どうしたらいいか、そなたの思うようにいたせ。姫君はもう私がお移し申したから、もしそなたが帰りたいというのなら、それもよし。いつでも送ってつかわすぞ」

こう言われては抗《あらが》うこともなりがたい。少納言はしかたなく車を降りた。しかし、このあまりにも急激な展開に、胸がドキドキして静まらない。

〈ああ、どうしましょ。宮様はどうお思いになることでしょう。それに、姫君はこれからどうおなりになるのでしょう。それもこれも、みんな頼りとする母君やおばあさまの尼君に先立たれたご不運のゆえ〉と思うに、涙は流れて止まらぬけれど、こんなときに、泣くばかりというのも不吉なと思うゆえ、必死に我慢している。

この西の対は、普段だれも住んでいないところなので、帳台などもなく、なにもかも調《ととの》っていない。源氏は惟光を呼んで、帳台、屏風などを、このあたり、あのあたりに立てさせて格好をつける。そうして、几帳の垂れ絹を引き下ろし、夜の床《とこ》などをささっと調えさせる。東の対まで、人を遣わして寝具などを取りに行かせ、やがて……源氏は姫を連れて閨に入った。

姫君は、ともかく恐ろしくて、なにをされるのだろうと思うと、ブルブル震えが来て、そうはいっても大声を上げて泣くこともできない。

「少納言と、一緒に寝たい」

と、たいそう幼い声で言う。源氏が、

「もう、そんな子どものような寝方ではなりませんよ」

と教えると、紫の君は、もうひたすら悲観的な気持ちになって、さめざめと泣き臥《ふ》している。少納言は、そこに横になることもできず、前後も弁《わきま》えぬ混乱のなかで、まんじりともしない。

やがて夜が明けた。

夜明けの光のなかで見渡してみると、さすがに源氏の邸の造作《ぞうさく》の見事なこと、また部屋の調度の立派さ、いまさら言うにも及ばない。庭の砂などもまるで真珠を敷き詰めたようで、光り輝いて見える。こんな素晴らしいお邸の佇まいを見るにつけても、いままで住まいしていた荒れ邸の様が思い出されてなにやらきまり悪い。

どうやらこのあたりには女房もいないらしい。

おそらくは、さまで親しくもない客人などをもてなす一角であったらしく、男の家来どもが、御簾の外に控えている。そんな殺風景ななかに、昨夜、女人を迎えたことを朧《おぼろ》げに聞いた者たちは、

「それはいったい誰であろうか。このお邸にお迎えするからには、なまなかのことではあるまい」

と囁き噂しあった。

やがて、朝の洗面の水や、朝食のお粥《かゆ》が運ばれてくる。源氏と紫の君は、もう日が高くなるころに起きてきた。

「女手がなくては、なにかと不便であろうから、あちらの邸から、しかるべき者たちを、夕方になったら呼び寄せたらよかろう」

源氏はそのように命じてから、東の対にいる女《め》の童《わらわ》を呼びにやった。

「いいか、できるだけ小さな子だけを、とくに選んで連れてまいれよ」

すぐに、たいそうかわいらしい様子で、四人ほど女の童がやってきた。

紫の君は、御衣《おんぞ》にくるまれて臥していたが、源氏は、強いて起こして、話しかける。

「そんなに、いつまでも嫌な顔ばかりしていてはいけないぞ。いい加減な男がこんなに優しくすることがあると思うかね。女というものは、まずは心の柔らかなのがいいのだよ。強情はいけない」

など、早くも教育が始まっている。

今こうして朝の光のなかで近々と見てみると、紫の君は遠くで見ていたよりもはるかに清々《すがすが》しい美しさで、源氏はひたすら優しい調子でなにくれとなく語り合いながら、おもしろい絵やら、オモチャやらを東の対まで取りにいかせては見せて、姫君のご機嫌をとることに余念がない。

紫の君もやっとはっきり起き出して、その絵やオモチャを見ている。その身に纏《まと》ったものを見れば、濃い鼠《ねずみ》色の喪服で、しかももうクシャクシャになっている。そんなものを着ながら、それでも無邪気に笑い声を立てたりもする。その様子があまりにもかわいらしいので、源氏はついつい引き込まれて一緒に笑いながら見ている。

源氏が東の対に行くというので、紫の君は立って、端近《はしぢか》のところまで送っていった。そのついでに、外の庭の木立、池のあたりなどを覗いてみると、霜枯れた植え込みなども、まるで絵に描いたように風趣があって、見たこともない官人《かんにん》たちが、黒い色の着物、緋色《ひいろ》の着物を着て、出たり入ったりしているのも目に珍しく、〈ほんとうにすてきなお邸だこと〉と紫の君は思うのであった。また屛風なども、たいそう見事な絵が描いてあって、せめてはそんな絵などを見て心の慰めとしているのも、なにやらけなげなことであった。

源氏、紫の君に教育する

源氏は、それから二、三日の間、内裏へも参らず、ただただ、この紫の君を手なずけようと、あれこれ語り合っている。やがて、筆遣いのお手本に、というつもりであろうか、手習いの歌の散らし書きやら、絵やら、あれこれと書いてみせたりもする。源氏の書く字も絵も、それはそれは見事で、さまざまに、数多く書いて見せた。

そういう手習い手本のなかに、源氏はさりげなく、

「しらねども武蔵野《むさしの》といへばかこたれぬ
　よしやさこそは紫のゆゑ

よくは知らないところだけれど、武蔵野、と聞くとなんだか恨みごとを言いたくなる。えいままよ、それはその野に生えている紫草の故だから」

という古歌を、しかも紫の紙に書いておいた。その筆跡、墨の色、まことに見事なのを姫君は手に取って見ている。その歌の脇に、小さな字で、

「ねは見ねどあはれとぞ思ふ武蔵野の
　露分けわぶる草のゆかりを

その根《ね》は見たことがない……まだ寝《ね》たことはないけれど、ああ良いなあと思うのだ、あの武蔵野の露を分けて行きなずんでいる、その紫の草のゆかりの方を」

と書いてある。源氏としては、これらの歌を書くことで、自分の、紫色の藤……藤壺の御方へ、そしてその同じ紫色の……紫草の君への、血筋ゆえの恋慕の思いを、仄めかしたつもりだが、頑是《がんぜ》ない紫の君には、おそらくなんのことやら分かっていない。

「さあ、そなたも書いてごらん」

と勧めてみるが、紫の君は、

「まだとてもうまくは書けません」

とあどけなく見上げている。その様子があまりにも純真でかわいらしいので、源氏はついつい微笑んで、

「どんなに下手《へた》でもね、そうやって書かないでいるのがいちばん良くないよ。教えてあげるから、さあお書き」

とさらに勧める。紫の君は恥ずかしいのか、ちょっと顔をそむけるようにして一生懸命に書いている、その手つき、また筆を持っている様子の子どもらしいのをみても、源氏はただただ、けなげでかわいいとばかり思う。その心は、自分でも不思議だと思うのであった。

「あ、書き損なっちゃった」

といって、恥ずかしそうに、書き損じを隠してしまうのを、源氏は無理やりに見てしまう。すると、

「かこつべきゆゑを知らねばおぼつかな
いかなる草のゆかりなるらむ

恨まなくてはいられない理由がわからないので、
そのゆかりとやらが、何の草のゆかりなのか、さっぱりわけがわかりません」

と、当意即妙にこんな返歌を書いて見せた。その筆先は、まだまだ幼稚だけれど、これから成長するにつれて、さぞ上達するだろうと想像されるような、ふっくらとした良い手筋であった。そういえば、この手筋は、どこか亡き尼君に似ている。〈この分なら、今風の手本について学んだなら、さぞ良く書くようになるだろうな〉と、源氏はその字を眺めていた。お人形など、わざわざ小さな御殿など作り並べたりして、紫の君といっしょに遊びながら、源氏はせめてそんなことを、よき気晴らしにしているのであった。

兵部卿の宮の悲嘆

あの荒れ邸に残った女房たちは、兵部卿の宮がやってきて姫の行方を尋ねるのに何とも答えようがなくて、みな困却を極めている。源氏が、このことは決して口外してはならぬと固く口止めをしたこともあり、また少納言としても、知られたら大変なことになると思うから、決して決して口外はまかりならぬと、女房たちには、厳に申し送ってある。ただ少納言が連れ出してどこかに隠してしまった、と女房たちは言うばかりで、宮としても、どうにも手の施しようもない。

「そういえば、亡くなった尼君も、姫がわが本邸に移ることを、ひどくいやがっておいでだったから、それであの乳母めが、まったく差し出た心配りのあまりに、お渡しすることは賛成いたしかねますと、平穏に言うこともなく、ただもう心の赴くままに、連れて逃げて、あの姫の将来をめちゃくちゃにしてしまったものよな」

など言いつつ、宮は、泣く泣く帰っていったが、その際、

「よいか、もし姫の行方が分かったら、すぐに知らせるのだぞ」

とくれぐれも申し付けて帰ったので、女房たちは、また詮索《せんさく》がましいことなど言われはせぬかと、うんざりするのであった。宮はまた、北山の僧都のところへも、姫の消息を尋ねてみたが、杳《よう》として行方は知れなかった。

かくして、いなくなってみると、今さらながら、あれはほんとうに手放すのは惜しいほど美しい容貌《ようぼう》をしていた、と恋しく悲しく思った。宮の正室北の方も、あの姫の母親を憎

いと思う心もいつしか消えて、あれほどの姫を、自分の思う通りに教育していかようにもさせてやれたものをと思うと、思っていたことと違う結果になったことを、ただ残念だと思うのであった。

紫の君、源氏に馴れ親しむ

西の対にも、しだいに女房が集まってきた。また遊び相手の女の童《わらわめ》たち、稚児たちからみても、いかにも珍しく華やかなお二人のありさまなので、別段なにも余計なことは考えずに屈託なく遊んでいた。

紫の君は、源氏が不在で、邸のうちが寂しいような夕暮れなどになると、あの亡き尼君を恋しがってそっと泣いたりすることもあるが、実際の父の宮のことは、特になにも思い出さない。もともと、この実父の宮とはずっと離れて育ったので、今はもう、後の親のような源氏ばかりをたいそう睦まじく思い、馴れ親しんで過ごしている。

源氏が外出から戻ってくると、真っ先に出迎えて、しみじみと打ち解けて語らい、またその懐に抱かれて、すこしも疎ましく思ったり恥ずかしがったりもせず、実際いまだにまったく夫婦という関係ではないけれど、それはそれとして、源氏から見れば、なんとしても世話をせずにはいられないほどかわいい人なのであった。

〈……もっとも、これでだんだん大人になり、知恵がついて嫉妬の心から面倒なことを言うようになると、自分としても、またすこし違う目で見るようになるかもしれないし、心の隔てが生じたり、向こうもまたこちらを恨んでみたりと、思ってもみなかったような軋《あつ》轢《れき》が、それからそれへと起こってくるかもしれないが……今のところは、ほんとうにかわいらしいおもちゃ……だな。……ふふふ、仮にこれが自分のほんとうの娘だったとしても、女の子というものは、このくらいの年ごろにもなれば、そうそう父親と打ち解けて振舞ってもくれぬし、まして子ども時分のように何心もなく一緒に寝たり起きたりなど、とてもとてもできはすまいけれど、この子は、まったく一風変わった「箱入り娘」だな〉と、源氏は思っているらしいのであった。

【第一巻】訳者のひとこと

「雨夜《あまよ》の品定《しなさだ》め」という構想

林　望

源氏物語のような巨大な物語が、一朝一夕《いっちょういっせき》に出来たわけもなく、おそらく何年もの時間をかけて、次第に今の形になってきたのであろうけれど、その過程が実際どういうものであったかということには、まことに紛々《ふんぷん》たる諸説があって、未《いま》だによく分かってはいない。

ただ、桐壺《きりつぼ》から藤裏葉《ふじのうらば》までの巻々を第一部、若菜《わかな》上から幻《まぼろし》（もしくは、本文は無いけれど雲隠《くもがくれ》まで）までを第二部、そしてそれ以下を第三部というふうに大きく分けて考えるのは、まず定説となっている。

そのそれぞれのなかが、どのような順序で書き継《つ》がれたのかということにも、また諸説あって、結局のところははっきり分かっていないのである。

さて、あの『帚木《ははきぎ》』の巻の中核をなしている、いわゆる「雨夜の品定め」という部分は、それがいつ書かれたのかという詮索はひとまず措くとして、この第一部に展開されるさまざまの恋物語のモチーフを提示するという意味を持っている。左馬頭《さまのかみ》という、この品定めの主導者は、他には出てこない人物で、その出自《しゅつじ》もなにも分からないが、ただ、驚くべき率直さと、無類の饒舌《じょうぜつ》を以《もっ》て、滔々《とうとう》と女性論を演説し続ける。その色好みの博士《はかせ》とも言うべき饒舌のなかに、男女の関わり方の、いろいろな形が現われてきて、それを源氏は、半分狸寝入《たぬきねい》りなんかしながら、ただじっと聴いているということになっている。

ここで源氏が耳にした「女の諸相」が、その後の、空蟬《うつせみ》、夕顔《ゆうがお》、紫上《むらさきのうえ》、末摘花《すえつむはな》、花散里《はなちるさと》、明石《あかし》の君《きみ》、そのほかの「意外性のなかに発見された女たち」となって、造形され、展開されていくことは、たしかに認めてよい。

「ものがたり」という言葉は、もともとナレーションという意味である。誰かが、口頭で面白可《おもしろお》笑《か》しく、あるいは哀しくしんみりと、物語っていった、そういう様式をとった創作が、「ものがたり」である。源氏も、むろんこのスタイルであって、ときどきその語り手が、生々しく顔を出して自分の意見を述べるところがある。これを「草子地《そうしじ》」という。

こんなところを、読みながら、物語が創作され、物語られた「場」を想像してみる。おそらくは、紫式部《むらさきしきぶ》に代表される作者が、ちょっとしたまとまりのある「はなし」を物語る。それを受容しているのは、聴聞者としての「読者」である。彼らは、話者の声や表情や、場合によっては所作《しょさ》までも含んだ、パフォーマンスとしての語りを、固唾《かたず》を呑《の》んで聴いたのであろう。

その時に、登場人物の誰彼について、……たとえば、夕顔の巻の冒頭、いきなり、「六《ろく》条《じょう》わたりの御しのびありきの頃」という形で、何の説明もなく、六条御息所《ろくじょうのみやすんどころ》が登場するのだが、その時は、大した存在感もない……ふとこの六条の人とは誰だろうと、聴聞の誰かから問われたりするようなことがあると、そこから、こんどはその六条の御方について、詳しい物語が展開する、というようなことがあれこれあって、次第にさまざまの物語が創作され、語り継がれていく、などという形で、物語は、成長していったのであろう。

帚木の巻は、そういう意味で、多くの登場人物の出現をそこはかとなく予告するという意味を持っている。

こんなふうに、左馬頭やら藤式部丞《とうしきぶのじょう》やらの口を借りて語られる、かなりコミカルで時にしんみりした饒舌のなかから、深刻にして重厚な源氏物語の世界が紡《つむ》ぎ出されてくることを思うと、ちょっと面白い。しかも、藤式部丞の語った博士の娘、などという奇矯なる女の描き方を読んでいると、もしやこの人物像のいくぶんかは、紫式部自身の戯画化であろうかとも思われて、ますます興味津々たるものがある。そう思って見ると、藤式部という人名には、どこか紫式部との近縁を思わせるところがあるとも見えるのである。

本書の主な登場人物関係図（桐壺〜若紫）

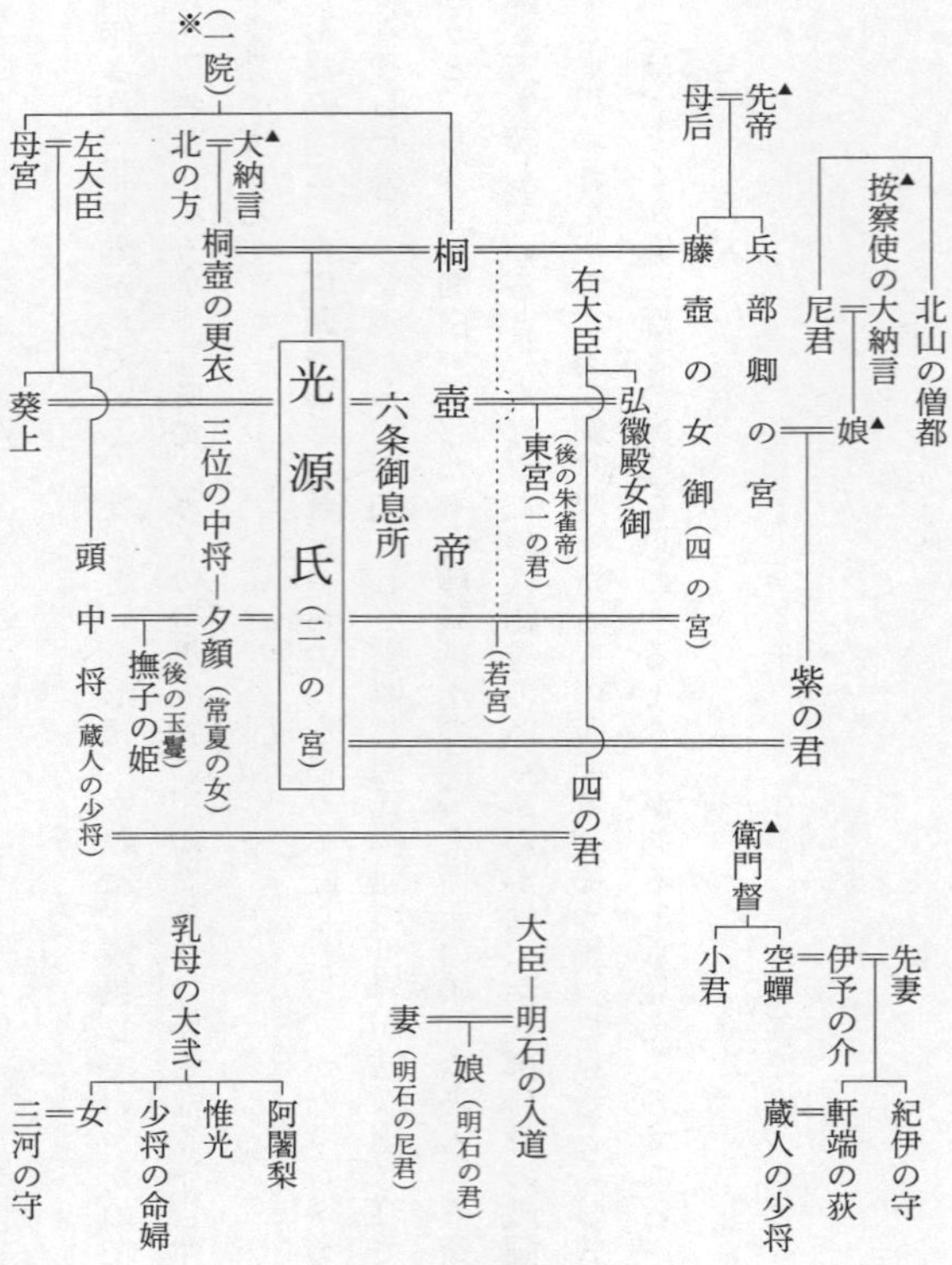

※▲は故人

※一院は紅葉賀にのみ名の見える帝であり、先帝の子で桐壺院の父か兄に比定されているが、未詳。ここでは仮に桐壺院の父としておく。

解説

千年の命を存《なが》らえた物語は、さらなる歳月を生き続けることになるだろう

西村 和子（俳人）

源氏物語の一部分なりとも読んだことがないという日本人は、ごく稀《まれ》だろう。それと同じくらい全巻を原文で読み通した人も少ないと言われている。世界に誇るべき最古の長篇小説は、それほど難解で取っ付きにくい作品なのである。

学者による全通釈、小説家や歌人による現代語訳は、近代以降も幾たびか試みられているが、前者は至れり尽せりの知識や研究成果が盛り込まれているものの、文章として退屈であることが多く、後者は表現者の技が凝らされているものの、時代的文学的背景への配慮不足という憾《うら》みが残る。

『謹訳 源氏物語』は、学者であり表現者である林望さんが、六十年の人生経験が熟したのを機に成し得た業績と言えよう。国文学者としての学識を基本に据え、文筆家としての表現力を駆使し、まるで現代小説を読むように楽しめる方法論を確立した。

ひとつは古典を読む折に、時に煩《わずら》わしく思われる敬語表現を限界まで省いたこと。源氏

物語には尊敬、謙譲、丁寧はもとより、二重敬語、自尊表現など、ありとあらゆる敬語が用いられている。その使い分けによって主語を省略するという独自の文体が確立したわけで、主体を想像しながら読むという離れ技が、享受者には求められたのである。謹訳では主語が明記されている。それだけでこの物語がどれほど読みやすくなったことだろう。

いまひとつは、本文や会話や歌の随所に隠されている文学的知識と素養、引き歌の断片が形造っているこの作品の重層性を、巧みに訳文の流れに組み込み、脚註、補註の類《たぐい》をすべて消し去ったことである。

漢籍、漢詩、古歌などの教養から、当時の人口に膾炙《かいしゃ》した歌や言い伝えまで、時の隔たりによってわかりにくくなってしまった言葉の裏や奥行きを、いちいち掘り下げてゆかねば本来の意図や籠《こ》めた思いが理解できないようなからくりが、この物語にはある。その事が作品に奥行きと魅力を与えてもいるのだ。

そんな行間の見えざる工夫を、歌や会話のはしばしに自然に解きあかすという表現技法は、語りものという本来のありようを踏まえてこそ実現したと言えよう。

印刷技術などとは無縁だった千年前の人々は、源氏物語を目で読むのではなく、耳で味わっていた。年長者が娘たちに語り聞かせたのが物語の始まりだった。

同時代の受領階級に生まれ育った菅原孝標《すがわらのたかすえ》の娘は、

「つれづれなる昼間、宵居などに、姉、まま母などやうの人々の、その物語、かの物語、光源氏のあるやうなど、ところどころ語るを聞くに、いとどゆかしさまされど、わが思ふままに、そらにいかでかおぼえ語らむ」

と更級日記に綴っている。光源氏の恋のゆくたてをところどころ語るのを聞きながら、娘たちは引き歌の効果や漢詩の知識などを補われ、聞き覚えていったものだろう。

あるいは貴重な写本をまわし読みしながら、年長者は、この歌にはこんな古歌の思いが託されているのよ、と草子を置いて教えたこともあったにちがいない。

そう確信したのは、私が林望さんと源氏物語の朗読会を重ねた体験による。各巻の名場面を選んで林さんが謹訳を、私が原典を朗読するという催しを、謹訳の進捗と同時進行で始めて、数年になる。原典では二、三頁の箇所でも、ゆきとどいた謹訳ではその倍の量になることがしばしばある。

そんな時、林さんは、本筋から離れたところは少し声をおとし、早口に解く。引き歌などを謹訳には丁寧に紹介されている。そんな語り口を聞くうち、この物語はこうして説き明かされつつ語り継がれてきたのだと実感した。

林さんはラジオでも全巻音読を果たし、ネット上で購入することもできると聞く。謹訳源氏物語の音声化を通して、音読に叶う文章を工夫し、改訂を重ねながらも表現を彫琢《ちようたく》してきた。それは語り物本来のありように近づけるための努力に他ならない。今回の文庫化にあたっても、その姿勢は変わることなく、随所に推敲の跡が見られる。

一例を見てみよう。「若紫」の『藤壺との密会』の場面である。永遠の恋人である藤壺との逢瀬を願って、王命婦に手引きをせがむ十八歳の源氏。単行本では、

源氏は、ある夜突然に、藤壺の閨に現われる、そして……。

藤壺にとっては、源氏がそこにいるだけでもただ辛いばかり、とても現実とは思えぬゆえ、決して心許した態度を見せない。源氏には、そのことが辛くてならぬ。

という解釈であった。この度はこう変更されている。

この無理やりな逢瀬……その間にもこうして現に逢っていることがまるで夢か幻のよ

うに慯く感じられて、源氏は、悲観的な思いに苦悩する。（347ページ）

原典を見ると、たった一行、

いかゞたばかりけむ、いとわりなくて見奉る程さへ、うつゝとは覚えぬぞわびしきや。


「見奉る」の主語を藤壺ととるか源氏ととるかで、解釈は揺れ動くのである。それだけでなく「わびしきや」と嘆いているのはどちらかで、読みが変わってくる。

私たちは、義理の息子である光源氏に言い寄られた藤壺の方が、はるかに苦悩していただろうと考える。しかし、初恋の人が、決して結ばれてはならぬ存在であり、覚えのない生母に生きうつしの女性であるという光源氏の運命を思い合わせると、やっと叶った逢瀬でさえ、「わびしきや」と苦悩する複雑な人物像が立ち上ってくるのである。

この場面で恋の喜びは全く語られていない。この世にこれほど切なく苦しい恋があるものか。これほど道義に外れた恋心があるものかと、誰よりも当人たちが慄《おのの》き、懊悩を深める闇の場である。そしてこの夜、藤壺は懐妊したのである。物語の聞き手は息を呑み、言葉を失ったことだろう。

　こうした読みの深まりもさることながら、文庫化にあたって嬉しい工夫が今ひとつある。それは、小見出しの設置である。あの名場面をもう一度、と望む時、はるかに見出しやすくなった。

もともと一文が長い源氏物語を、内容に従って区切り、長短綯《な》い交ぜの文章に生まれ変わらせたことは、謹訳の手柄のひとつだった。絵巻物のように切れ目なく綴られた文章を、場面や時間によって行を換え、行間を開けた工夫が、この物語を飛躍的に読み易いものにした。さらに小見出しによって、はじめての読者は胸を踊らせ、再読の際の手がかりにもなる。

　こうして文庫版を手にして実感するのは、源氏物語が新しい命を吹き込まれ、新たな読み手に手渡されてゆくであろう予感、というより確信である。電車の中でも、喫茶店でも、鞄から取り出して気軽に読むことができる。夜寝る前に手軽に開くことができる。そうして源氏物語の全巻を読み通す人が増え、改めてその魅力に気づく時、千年の命を存《なが》らえた物語は、さらなる歳月を生き続けることになるだろう。

単行本　平成二十二年三月　祥伝社刊『謹訳　源氏物語一』に、
増補修訂をほどこし、書名に副題をつけた。
なお、本書は、新潮日本古典集成『源氏物語』（新潮社）を
一応の底本としたが、諸本校合の上、適宜取捨校訂して解釈した。
「訳者のひとこと」　初出　単行本付月報

一〇〇字書評

切り取り線

購買動機（新聞、雑誌名を記入するか、あるいは○をつけてください）	
□（　　　　　）の広告を見て	
□（　　　　　）の書評を見て	
□ 知人のすすめで	□ タイトルに惹かれて
□ カバーが良かったから	□ 内容が面白そうだから
□ 好きな作家だから	□ 好きな分野の本だから

・最近、最も感銘を受けた作品名をお書き下さい

・あなたのお好きな作家名をお書き下さい

・その他、ご要望がありましたらお書き下さい

住所	〒				
氏名		職業		年齢	
Eメール	※携帯には配信できません	新刊情報等のメール配信を 希望する・しない			

この本の感想を、編集部までお寄せいただけたらありがたく存じます。今後の企画の参考にさせていただきます。Eメールでも結構です。

いただいた「一〇〇字書評」は、新聞・雑誌等に紹介させていただくことがあります。その場合はお礼として特製図書カードを差し上げます。

前ページの原稿用紙に書評をお書きの上、切り取り、左記までお送り下さい。宛先の住所は不要です。

なお、ご記入いただいたお名前、ご住所等は、書評紹介の事前了解、謝礼のお届けのためだけに利用し、そのほかの目的のために利用することはありません。

〒一〇一-八七〇一
祥伝社文庫編集長 清水寿明
電話 〇三（三二六五）二〇八〇

祥伝社ホームページの「ブックレビュー」からも、書き込めます。

www.shodensha.co.jp/bookreview

祥伝社文庫

謹訳《きんやく》 源氏物語《げんじものがたり》 一《いち》
改訂新修

平成29年9月20日　初版第1刷発行
令和 6 年11月10日　第4刷発行

著　者　林 望《はやしのぞむ》
発行者　辻　浩明
発行所　祥伝社《しょうでんしゃ》
東京都千代田区神田神保町3-3　〒101-8701
電話　03（3265）2081（販売）
電話　03（3265）2080（編集）
電話　03（3265）3622（製作）
www.shodensha.co.jp
印刷所　TOPPANクロレ
製本所　ナショナル製本

Printed in Japan ©2017, Nozomu Hayashi　ISBN978-4-396-31716-4 C0193

林望『謹訳源氏物語 改訂新修』全十巻

【一巻】桐壺／帚木／空蟬／夕顔／若紫
【二巻】末摘花／紅葉賀／花宴／葵／賢木／花散里
【三巻】須磨／明石／澪標／蓬生／関屋／絵合／松風
【四巻】薄雲／朝顔／少女／玉鬘／初音／胡蝶
【五巻】蛍／常夏／篝火／野分／行幸／藤袴／真木柱／梅枝／藤裏葉
【六巻】若菜上／若菜下
【七巻】柏木／横笛／鈴虫／夕霧／御法／幻／雲隠
【八巻】匂兵部卿／紅梅／竹河／橋姫／椎本／総角
【九巻】早蕨／宿木／東屋
【十巻】浮舟／蜻蛉／手習／夢浮橋